21^{00}

D1649981

LE VENT QUI VIENT DU SOLEIL

SCIENCE-FICTION

Collection dirigée par Jacques Goimard

ARTHUR C. CLARKE

LE VENT QUI VIENT DU SOLEIL

RÉCITS DE L'ÈRE SPATIALE

Recueil présenté et traduit par
GEORGE W. BARLOW

PRESSES POCKET

Titre original :

THE WIND FROM THE SUN

Victor Gollancz, G.B., 1972.

© 1983, Presses Pocket pour la traduction française.

ISBN : 2 - 266 - 01278 - 9

INTRODUCTION

En préparant le Livre d'or d'Arthur Clarke *(Presses Pocket n° 5118, septembre 1981), je me suis aperçu qu'un recueil entier —* The Wind from the Sun, 1972 *— était resté inconnu en France. Des dix-huit textes qu'il contient, un seul, très court, avait été traduit dans le n° 82 de* Galaxie *(mars 1971) : René Berthier avait apparemment voulu relever le défi posé par un calembour sur « the starspangled banner » (la bannière étoilée), transformé par l'auteur en « star-mangled spanner », ce que le hardi traducteur avait rendu par « charnière étoilée » !*

Certains de ces textes auraient fait honneur à mon anthologie ; mais il semblait dommage de gâcher ainsi cette occasion de présenter au lecteur français un recueil pratiquement inédit tel que l'auteur l'avait composé. Cela n'a pas été le cas depuis Demain, moisson d'étoiles *(Denoël, 1960) : dans les deux volumes parus chez* J'AI LU, Avant l'Eden *(1978) et* l'Etoile *(1979), les nouvelles (dont certaines déjà traduites dans des magazines ou dans le premier recueil) ne sont pas réparties exactement comme dans* The Nine Billion Names of God *(1967) et* The Other Side of the Sky *(1958), qui se recouvraient d'ailleurs en partie.*

En accord avec Jacques Goimard, je me suis donc abstenu de puiser dans The Wind from the Sun, *afin qu'il soit par la suite publié dans son intégralité. C'est aujourd'hui chose faite. Entre-temps, cependant, le plus long des récits, le plus important aussi peut-être, « A Meeting with Medusa », a paru dans* Orbites n° 1 *(février 1982) sous le titre de « Rendez-vous avec Méduse » ; mais il mérite bien d'avoir ainsi une double chance d'être lu chez nous.*

A bien des égards, le présent volume constitue donc une suite au Livre d'or. A l'instar de ce dernier, il contient pour chaque nouvelle une brève présentation, où j'ai notamment indiqué la date de composition : sans broder autour de ses fictions une véritable biographie comme Asimov dans ses derniers recueils, Clarke tenait à cette chronologie, pour les raisons que l'on va lire dans sa préface.

G.W.B.

Pour Peter,
ces souvenirs de notre avenir.

PRÉFACE

Ce volume contient tous les récits que j'ai écrits dans les années soixante, une des périodes les plus spectaculaires de toute l'histoire des sciences et de la technologie. C'est en effet au cours de cette décennie qu'on a inventé le laser, trouvé le code génétique, envoyé les premières sondes-robots vers Mars et Vénus, découvert les pulsars — et qu'on s'est posé sur la Lune. Nombre de ces événements, soit par anticipation, soit après leur réalisation, trouvent un écho dans ces nouvelles ; c'est pourquoi je les ai présentées dans l'ordre chronologique.

C'est mon sixième volume de nouvelles[1], et j'ai été tenté de le sous-titrer *Suite et Fin* — non que j'aie quelques indices de mortalité[2] (j'ai bien l'intention de voir ce qui se passera *réellement* en l'an 2001), mais parce qu'il semble que j'écrive de moins en moins, et fasse de plus en plus de causeries, de voyages, de cinéma, et de plongée sous-marine. Si l'on extrapole à partir de mon rythme de production actuel, le volume sept se situerait si loin dans l'avenir qu'il vaudra mieux se contenter d'ajouter éventuellement les quelques nouvelles ultérieures aux prochaines éditions de ce livre.

1. Clarke ne compte ici que les recueils dont le contenu ne se recoupe pas, à l'exclusion des deux *Arthur C. Clarke Omnibus,* de *Of Time and Stars,* et des gros volumes regroupant des romans et des nouvelles (cf. la bibliographie à la fin du *Livre d'or d'Arthur C. Clarke,* Presses Pocket, 1981).
2. Clarke parodie ici le titre d'une ode de Wordsworth, « Intimations of Immortality », traduite par Emile Legouis sous le titre « Indices d'immortalité » (*N.d.T.*).

The Wind from the Sun a d'abord paru sous le titre de *Sun-jammer*[1], dans *Boys' Life*. Par une de ces curieuses coïncidences qui ne sont pas rares en littérature (cf. « L'Honorable Herbert George Morley Roberts Wells », ci-inclus), le même titre a été utilisé presque au même moment par Poul Anderson.

La rampe de lancement installée sur la Lune dans « Maelström II » repose sur une conception formulée pour la première fois, je crois, dans mon article « Le lancement électromagnétique, contribution majeure au vol spatial » (*Journal of the British Interplanetary Society,* novembre 1950).

Les prédictions détaillées des événements à venir décrits dans « Passage de la Terre » sont dues à Jan Meeus (*Journal of the British Astronomical Association,* volume 72, n° 6, 1962). Je dois beaucoup à l'article de M. Meeus, à la fois pour ma documentation et pour mon inspiration.

L'expression « les roues de Poséidon » (dans « Face à face avec Méduse ») est due à mon ami le regretté Willy Ley, et les citations qui s'y rapportent sont extraites de son livre *On Earth and in the Sky* (« Sur terre et dans le ciel »). La cause de cet extraordinaire et impressionnant phénomène est loin d'être pleinement élucidée.

Pour terminer, puis-je me permettre de dire que ce recueil peut sans doute se flatter de battre un modeste record avec « la Plus Longue Histoire de science-fiction jamais contée » : aucune histoire plus longue n'a jamais été écrite, ni ne le sera jamais.

ARTHUR C. CLARKE.
Colombo, Ceylan,
février 1971.

---

1. *Sunjammer* est la transposition du terme *windjammer* qui désignait un type de grand voilier. Si Clarke avait conservé ce titre, cette traduction aurait, pour la nouvelle en question et pour l'ensemble du recueil, risqué une fâcheuse homonymie avec le beau roman de Gérard Klein *Les Voiliers du Soleil,* paru — autre coïncidence littéraire — deux ans plus tôt seulement au Fleuve Noir (*N.d.T.*).

LA NOURRITURE DES DIEUX

Nous venons de parler de Gérard Klein, et voici que nous devons l'évoquer à nouveau dès la première nouvelle de ce recueil, tant elle présente de points communs avec « Discours pour le centième anniversaire de l'Internationale Végétarienne » (Fiction 170, janvier 1968) : même présentation (propos d'un seul personnage), même ancrage dans l'actualité (l'explosion démographique que nous connaissons), même critique (gaspillage des ressources alimentaires par les mangeurs de viande), même modalité (l'humour noir).

Jeury, qui a repris le texte de Klein dans le Livre d'or qu'il lui a consacré (Presses Pocket, 1979), le qualifie (avec un point d'interrogation) de « canular d'économiste » ; Clarke, s'il n'est pas spécifiquement économiste, a amplement montré dans ses ouvrages de prospective l'intérêt qu'il porte à ces problèmes et la pénétration sans complaisance avec laquelle il les traite, et l'on remarquera ici combien les arguments qu'il esquisse correspondent aux analyses d'un René Dumont.

C'est lui qui cette fois a l'antériorité sur Klein, puisque « The Food of the Gods » a été écrit dès mai 1961. Au reste, les deux histoires se développent dans des directions fort différentes. La matière est si riche, d'ailleurs, que nombreux et divers (Heinlein et Ellison, Wells et Priest, Silverberg et Bass, Ballard et Harrison) sont les... sauce-fictionnistes qui l'ont accommodée chacun selon sa recette propre !

En toute honnêteté, je dois vous prévenir, Monsieur le Président, qu'une bonne partie de mon témoignage sera fort peu ragoûtante : il s'agit d'aspects de la nature humaine que l'on évoque rarement en public, et sûrement jamais devant une commission parlementaire. Mais il faut bien, je le crains, les regarder en face. Il y a des cas où il faut arracher le voile de l'hypocrisie, et celui-ci en est un.

Vous et moi, Messieurs, descendons d'une longue lignée de carnivores. Je vois à votre expression que vous ignorez pour la plupart le sens de ce terme. Cela n'a rien de surprenant : il vient d'un langage qui ne se parle plus depuis deux mille ans. Peut-être ferais-je mieux d'éviter les euphémismes et d'être d'une brutale franchise, même s'il me faut utiliser des mots qu'on n'entend jamais dans la bonne société. Je présente à l'avance mes excuses à tous ceux que je pourrais offusquer.

Il y a quelques siècles encore, la nourriture favorite de tous les hommes était la *viande* — la *chair* d'animaux qui avaient été vivants. Je ne cherche pas à vous soulever le cœur : ce n'est qu'une constatation de fait, qu'on peut vérifier dans n'importe quel livre d'histoire...

Mais bien sûr, Monsieur le Président : j'accepte bien volontiers d'attendre que le Sénateur Irving se sente mieux. Nous autres spécialistes oublions parfois comment des profanes peuvent réagir à de tels énoncés. Mais je dois aussi avertir la commission qu'il y a bien pire par la suite : si certains d'entre vous, Messieurs, n'ont pas l'estomac très solide, je leur conseillerais de suivre le Sénateur avant qu'il soit trop tard...

Eh bien, si je puis me permettre de poursuivre, jusqu'à l'époque moderne, tous les aliments pouvaient être répartis en deux catégories. La plupart étaient produits à partir de plantes — céréales, fruits, plancton, algues et autres formes de végétation. Il nous est difficile de concevoir que l'immense majorité de nos ancêtres étaient des cultivateurs, qui tiraient la nourriture de la terre ou de la mer par des méthodes primitives et parfois éreintantes ; c'est pourtant la vérité.

Le second type d'aliments, si l'on m'autorise à revenir à ce déplaisant sujet, c'était la viande, produite à partir d'un nombre relativement restreint d'animaux. Certains d'entre eux vous sont peut-être connus : vaches, porcs, moutons, baleines. La plupart des gens — je regrette de devoir le souligner, mais c'est un fait incontestable — préféraient la viande à tout autre mets, quoique seuls les plus riches fussent en mesure de satisfaire ce penchant. Pour la majeure partie de l'humanité, la viande était une gâterie fortuite et exceptionnelle dans un régime à plus de quatre-vingt-dix pour cent végétal.

Si nous examinons la question calmement et sans passion — comme, je l'espère, le Sénateur Irving est maintenant en état de le faire — il nous apparaît que la viande ne pouvait qu'être rare et chère, car sa production est un processus d'un rendement extrêmement médiocre : pour faire un kilo de viande, l'animal concerné doit absorber au moins dix kilos de nourriture végétale, nourriture qui très souvent aurait pu être consommée directement par les êtres humains. Indépendamment de toute considération esthétique, un tel état de choses ne pouvait être toléré après l'explosion démographique du XXe siècle. Tout homme qui mangeait de la viande condamnait à la famine dix de ses semblables ou davantage...

Par bonheur pour nous tous, les biochimistes résolurent ce problème. Comme vous le savez sans doute, la réponse fut un des innombrables à-côtés de la recherche spatiale. Tous les comestibles sont constitués d'éléments communs en nombre très limité : le carbone, l'hydrogène, l'oxygène, l'azote, des traces de soufre et de phosphore — cette demi-douzaine d'éléments et quelques autres se combinent en une variété presque infinie de manières pour former tous les aliments que l'homme a jamais mangés et mangera jamais. Confrontés au problème de la colonisation de la Lune et des planètes, les biochimistes du XXIe siècle découvrirent comment synthétiser toute nourriture désirée à partir des matières premières de base qu'étaient l'eau, l'air et la pierre. Ce fut la plus grande réussite, la plus importante aussi, dans l'histoire de la science. Mais nous ne devrions pas en tirer une excessive fierté : le règne végétal nous avait devancés de milliards d'années.

Les chimistes étaient maintenant à même de synthétiser tout aliment imaginable, qu'il eût son équivalent dans la nature ou non. Inutile de dire qu'il y eut des erreurs, et même des catastrophes. Des empires industriels s'édifièrent et s'écroulèrent ; le passage de l'agriculture et de l'élevage aux usines de traitement automatique géantes et aux univertisseurs d'aujourd'hui ne se fit pas sans douleur. Mais il fallait qu'il se fasse, et il est tout à notre avantage. Les risques de famine ont été éliminés pour toujours, et notre nourriture est d'une richesse et d'une variété que nul autre âge n'a jamais connues.

Cela représentait en outre, bien entendu, un progrès moral. Nous n'assassinons plus des millions d'êtres vivants, et ces établissements révoltants qu'étaient abattoirs et boucheries ont disparu de la surface de la Terre. Il nous semble incroyable que même nos ancêtres, pour grossiers et brutaux qu'ils fussent, aient jamais pu tolérer des choses aussi obscènes.

Et cependant... il est impossible de rompre totalement avec le passé. Comme je l'ai déjà fait observer, nous sommes des carnivores ; nous héritons de goûts et d'appétits acquis au cours d'un million d'années. Que nous le voulions ou non, il y a quelques années seulement, certains de nos arrière-grands-parents aimaient la chair des bovins, des moutons et des porcs... quand ils pouvaient s'en procurer. *Et nous l'aimons encore aujourd'hui...*

Oh, mon Dieu ! peut-être vaudrait-il mieux que le Sénateur Irving reste dehors désormais. J'aurais sans doute dû prendre davantage de gants. Ce que je voulais dire, bien entendu, c'est que beaucoup de nos aliments synthétiques présentent la même formule que les anciens produits naturels ; de fait, certains d'entre eux en sont des répliques si exactes qu'aucun test, chimique ou autre, ne pourrait révéler la moindre différence. Cette situation est logique et inévitable : nous autres fabricants avons tout simplement pris comme modèles les mets pré-synthétiques les plus populaires, et reproduit leur goût et leur texture.

Bien entendu, nous avons aussi inventé de nouveaux noms qui ne suggèrent pas une origine zoologique, anatomique, qui ne rappellent à personne les réalités de la vie. Quand vous allez au restaurant, la plupart des termes que vous pouvez lire sur le menu ont été inventés depuis le début du XXI⁺ siècle, ou adaptés de mots français que bien peu de gens seraient à même de reconnaître. Si jamais vous voulez découvrir votre seuil de tolérance, vous pouvez tenter une expérience intéressante mais fort désagréable : la section réservée de la Bibliothèque du Congrès possède un grand nombre de menus provenant de restaurants célèbres — et même de banquets de la Maison-Blanche — qui remontent jusqu'à cinq cents ans ; leur franchise crue évoque la salle de dissection, et les rend presque impossibles à lire. Rien ne me paraît révéler de façon plus frappante l'abîme qui nous sépare de nos ancêtres d'il y a quelques générations seulement...

Mais si, Monsieur le Président, j'en viens bien à notre propos : tout ceci est peut-être déplaisant, mais parfaitement pertinent. Je ne cherche nullement à vous gâcher l'appétit : je ne fais que jeter les bases de l'accusation que je désire formuler contre mon concurrent, la Compagnie Triplanétaire d'Alimentation. Faute de saisir ces données de base, vous pourriez penser qu'il s'agit de doléances futiles, inspirées par les pertes sans conteste sérieuses subies par ma firme depuis que la Super-Ambroisie est apparue sur le marché.

De nouveaux aliments, Messieurs, on en invente chaque semaine. Il est difficile de se tenir au courant. Ils surgissent et passent comme les modes féminines. Il n'y en a guère qu'un sur mille qui vienne enrichir nos menus de façon permanente. Que l'un d'entre eux suscite du jour au lendemain un engouement général, c'est *extrêmement* rare, et j'admets volontiers que la gamme de variétés Super-Ambroisie représente la plus grande réussite de toute l'histoire de l'industrie alimentaire. Vous connaissez tous la situation : tout le reste a été balayé du marché.

Naturellement, il fallait bien que nous relevions le défi. Les biochimistes de mon entreprise valent bien tous ceux du système solaire, et ils se sont mis sans tarder à étudier l'Ambroisie. Je ne trahis aucun secret professionnel en vous disant que nous possédons sur bandes les données de pratiquement tous les mets que l'humanité ait jamais consommés. Remontant jusqu'à des spécialités exotiques dont vous n'avez jamais entendu parler, tels que calmar frit, sauterelles au miel, langues de paon, polypode vénusien, notre immense répertoire de saveurs et de consistances représente notre stock de base, et il en va de même pour toutes les firmes de notre branche économique. Nous pouvons y puiser des éléments et en faire toutes les combinaisons imaginables. Et d'ordinaire nous pouvons reproduire sans grand mal tout produit lancé par nos concurrents.

Mais la Super-Ambroisie nous a tenus en échec pendant un bon bout de temps. Sa composition protéines-graisses la classait nettement comme une viande, simple, sans trop de particularités ; pourtant, nous ne parvenions pas à en trouver l'équivalent exact. C'était pour mes chimistes le premier échec : aucun d'entre eux ne savait expliquer précisément ce qui donnait à ce produit son exceptionnel attrait — qui, comme chacun le sait, fait paraître insipide toute autre nourriture en comparaison. Rien d'étonnant à cela... mais n'anticipons pas.

Sous peu, Monsieur le Président, le P.-D.G. de la COTRIPAL va comparaître devant vous — plutôt à contrecœur, j'en suis sûr. Il vous dira que la Super-Ambroisie est synthétisée à partir d'air, d'eau, de chaux, de soufre, de phosphore, et autres. C'est la stricte vérité. Mais c'est loin d'être le fin mot de l'histoire.

Nous avons maintenant découvert son secret — qui, comme tous les secrets, est très simple une fois qu'on le connaît.

Je ne peux que féliciter mon concurrent. Il a enfin mis à notre disposition, en quantités illimitées, ce qui, de par la nature des choses, constitue pour l'humanité la nourriture idéale. Jusqu'à présent, les approvisionnements en étaient fort limités, ce qui augmentait d'autant la délectation des rares connaisseurs qui pouvaient s'en procurer. Tous, sans exception, ils ont juré que rien ne pouvait s'y comparer, même de loin.

Oui, les chimistes de la COTRIPAL ont accompli un travail technique remarquable. Maintenant, c'est à vous de résoudre les problèmes moraux et philosophiques. Au début de mon témoignage, j'ai utilisé le mot archaïque « carnivore ». Maintenant, il me faut vous en faire connaître un autre ; la première fois, je vais l'épeler : C-A-N-N-I-B-A-L-E...

The Food of the Gods.
Première publication : *Playboy,* mai 1964.

MAELSTRÖM II

Sous un titre qui fait explicitement référence à Edgar Poe, cette nouvelle composée en mai 1962 s'inscrit en marge du roman Earthlight *de 1954 (*Lumière cendrée, le Masque, *1975) : c'est un incident de la colonisation de la Lune, minime dans l'histoire de l'humanité mais crucial dans celle du principal protagoniste. Sans romantiques envolées de style ni de pensée, sans retournements de situation mélodramatiques, mais avec un impeccable enchaînement de causes et d'effets, et un suspense soutenu du début à la fin, ce récit met en relief les deux qualités essentielles de Clarke — vérité psychologique et exactitude scientifique — qui font de lui le grand classique de la science-fiction.*

Il n'était pas le premier, se disait Cliff Leyland non sans amertume, à savoir quand, à la seconde près, et de quelle manière précise il allait mourir. Que de fois des condamnés avaient attendu leur dernier matin ! Pourtant, jusqu'au dernier instant, ils pouvaient espérer leur grâce : des juges humains peuvent faire preuve de miséricorde. Mais les lois de la nature sont sans appel.

Six heures auparavant seulement, il préparait en sifflant joyeusement ses dix kilos de bagages personnels pour la longue descente du retour. Il se souvenait encore maintenant, malgré tout ce qui s'était passé, que dans ses songes d'alors Myra était déjà dans ses bras, qu'il descendait le Nil avec Brian et Sue pour la croisière qu'il leur avait promise. Dans quelques minutes, quand la Terre apparaîtrait au-dessus de l'horizon, il pourrait revoir le Nil ; mais le visage de sa femme et de ses enfants, seul le souvenir pouvait le lui rendre. Et tout ça parce qu'il avait voulu économiser neuf cent cinquante dollars en voyageant à bord du cargo catapulté au lieu de la navette à réaction !

Il s'était attendu à trouver pénibles les douze premières secondes, où la capsule filait sur la piste de quinze kilomètres du lanceur électrique et lui faisait quitter la Lune. Même avec la protection de la masse d'eau où il serait immergé pendant le compte à rebours, il ne s'était guère fait une fête du décollage sous 20 g. Pourtant, quand l'accélération s'était saisie de la capsule, il avait à peine eu conscience des forces énormes qui jouaient sur lui. Tout ce qu'on entendait, c'étaient les faibles craquements des cloisons métalliques ; pour quiconque a connu le bruit de tonnerre d'une fusée qui décolle, le silence était troublant. Lorsque le haut-parleur de la cabine annonça « Temps T plus cinq secondes, vitesse 3000 kilomètres à l'heure », il eut du mal à y croire.

Trois mille kilomètres à l'heure atteints en cinq secondes, départ arrêté, et encore sept secondes à courir, où les générateurs bourreraient le lanceur de leur puissance fulgurante. Oui, pour parcourir la surface de la Lune, c'était bien la foudre qu'il chevauchait. Mais à T plus sept la foudre flancha.

Même dans son abri liquide comme un enfant dans le sein de sa mère, Cliff sentit que quelque chose n'allait pas. L'eau dans laquelle il baignait, jusqu'alors comme pétrifiée par son propre poids, semblait soudain prendre vie. La capsule filait toujours sur la piste, mais toute accélération avait cessé : elle ne faisait que courir sur son erre.

Il n'eut pas le temps d'avoir peur, ni de se demander ce qui avait pu se produire, car la panne de courant ne dura guère plus d'une seconde. Puis il y eut une grande secousse, qui ébranla la capsule d'un bout à l'autre, et déclencha une alarmante série de heurts et de tintements ; le champ était rétabli.

Lorsque l'accélération cessa définitivement, toute pesanteur disparut avec elle. Cliff n'avait besoin de nul autre instrument que son estomac pour savoir que la capsule avait atteint l'extrémité de la piste et perdu contact avec la surface de la Lune. Il attendit avec impatience que les pompes automatiques aient vidé le réservoir où il était immergé et que l'air chaud ait accompli le séchage ; puis, flottant au-dessus du tableau de bord, il vint d'une traction s'asseoir dans le siège baquet.

« Poste de contrôle ! » appela-t-il d'un ton pressant, tout en se sanglant dans le fauteuil. « Que diable s'est-il passé ? »

Une voix empressée mais inquiète répondit aussitôt : « La vérification est en cours. On vous rappellera dans trente secondes. » Puis elle ajouta un peu tardivement : « Ravi que vous n'ayez rien. »

Pour meubler son attente, Cliff passa sur vision antérieure : rien à voir devant, que des étoiles — ce qui était parfaitement normal. Du moins avait-il décollé avec une bonne partie de la vitesse prévue : il ne risquait donc pas de s'écraser à la surface de la Lune dans l'immédiat. Mais tôt ou tard ce serait le cas : il était exclu qu'il ait atteint la vitesse de libération. Il devait être en train de décrire dans l'espace une grande ellipse qui, dans quelques heures, le ramènerait à son point de départ.

Soudain, le poste de contrôle se fit entendre à nouveau : « Allô, Cliff ! On a trouvé ce qui s'était passé : les disjoncteurs ont sauté quand tu passais dans la section cinq de la piste. Ta vitesse de décollage a donc été de onze cents kilomètres à l'heure trop basse, ce qui fait que tu vas revenir dans cinq heures et des poussières. Mais ne t'en fais pas : tes réacteurs de correction de trajectoire ont assez de poussée pour te mettre en orbite stable. On te dira quand les déclencher. Après, tu n'auras plus qu'à prendre ton mal en patience jusqu'à ce qu'on puisse envoyer quelqu'un te prendre en remorque et te ramener. »

Lentement, Cliff se laissa aller à la détente. Il avait oublié les fusées de stabilisation de la capsule ! Malgré leur faible puissance, elles pouvaient le catapulter sur une orbite qui éviterait la collision. Il redescendrait sans doute à quelques kilomètres de la surface lunaire, et raserait plaines et montagnes à une vitesse époustouflante, mais serait parfaitement en sécurité.

Puis il se rappela les heurts et les tintements qu'il avait entendus venir du compartiment des commandes, et ses espoirs faiblirent à nouveau, car il n'y avait guère de choses à bord d'un véhicule spatial qui pouvaient se briser sans conséquences désagréables.

C'est à ces conséquences qu'il était confronté maintenant, après les dernières vérifications des circuits d'allumage : en MANUEL comme en AUTOMATIQUE, les fusées de direction refusaient de s'allumer. Les modestes réserves de combustible de la capsule, qui auraient pu assurer sa sécurité, étaient totalement inutilisables. Dans cinq heures il bouclerait son orbite... et retomberait à son point de lancement !

Je me demande s'ils donneront mon nom au nouveau cratère, se dit Cliff. « Cratère Leyland ; diamètre... » Quel diamètre ? N'exagérons pas : je ne crois pas qu'il fera plus de deux ou trois cents mètres. Ça ne vaudra guère la peine de l'indiquer sur la carte.

Le poste de contrôle se taisait toujours, mais ça n'avait rien de surprenant : que dire à un homme qui était déjà pratiquement mort ? Et pourtant, bien qu'il sût que rien ne pouvait modifier sa trajectoire, il ne pouvait pas croire même maintenant qu'il serait bientôt éparpillé sur une bonne partie de la face cachée : il était encore en plein essor, bien à l'abri dans sa petite cabine douillette ; l'idée de la mort était totalement déplacée — ne le semble-t-elle pas à tout homme jusqu'à la dernière seconde ?

Puis, pour un instant, Cliff oublia son problème personnel : l'horizon devant lui n'était plus plat, quelque chose de plus brillant encore que l'étincelant paysage lunaire se levait sur le fond d'étoiles ; en doublant le bord de la Lune, la capsule créait ce qui n'était pas possible sans l'homme : un lever de Terre. Une minute plus tard, c'était déjà terminé, tant son orbite était rapide : la Terre avait jailli bien au-dessus de l'horizon et s'élevait rapidement dans le ciel.

Elle était aux trois quarts pleine, et presque trop éblouissante pour qu'on la contemple. C'était là un miroir cosmique fait non de rochers ternes et de plaines poussiéreuses, mais de neige, de nuages et de mers. Presque entièrement de mers, en fait, car le Pacifique était tourné vers Cliff, et l'aveuglant reflet du soleil couvrait les îles Hawaii. La brume de l'atmosphère — cette molle couverture qui aurait dû normalement amortir sa descente dans quelques heures — voilait tous les détails géographiques ; peut-être cette tache plus sombre qui émergeait de la nuit était-elle la Nouvelle-Guinée, mais il ne pouvait en être sûr.

Qu'il aille droit vers cette resplendissante apparition, quelle amère ironie ! Onze cents kilomètres à l'heure de plus, et il y parvenait ! Onze cents seulement... mais autant en demander onze millions !

La vue de la Terre qui se levait lui rappela avec une force irrésistible le devoir qu'il redoutait mais ne pouvait plus remettre.

« Poste de Contrôle », fit-il, en affermissant sa voix au prix d'un grand effort, « mettez-moi en communication avec la Terre, je vous prie. »

C'était là une des choses les plus étranges qu'il eût faites dans sa vie : être dans un fauteuil au-dessus de la Lune et écouter le téléphone sonner dans sa propre maison à quatre millions de kilomètres de là. Il devait être près de minuit là-bas en Afrique, et il faudrait quelque temps avant qu'il y ait une réponse : Myra se mettrait à bouger, encore endormie, puis, en vraie femme d'astronaute toujours à guetter un désastre, elle serait à l'instant réveillée ; mais tous deux n'avaient pas voulu d'un appareil dans leur chambre, et il lui faudrait donc au moins quinze secondes pour allumer la lumière, fermer la porte de la chambre d'enfant pour ne pas déranger le bébé, descendre les escaliers et...

Sa voix lui parvint claire et douce à travers le vide de l'espace. Il la reconnaîtrait partout dans l'univers, et il y perçut tout de suite une nuance d'anxiété.

« Madame Leyland ? » disait la standardiste de la face tournée vers la Terre. « Je vous transmets un appel de votre mari. N'oubliez pas les deux secondes de décalage. »

Cliff se demanda combien de gens étaient à l'écoute, sur la Lune, la Terre ou les satellites-relais. Il était dur de parler pour la dernière fois à des êtres chers quand il y avait on ne savait combien d'oreilles indiscrètes. Mais, dès qu'il se mit à parler, plus personne n'exista, sinon Myra et lui.

« Chérie », commença-t-il, « c'est Cliff. Je ne rentrerai pas comme promis, j'en ai peur. Il y a eu un... incident technique. Ça va très bien pour le moment, mais je suis dans un sale pétrin. »

Il avait la bouche sèche ; il déglutit pour tenter d'y remédier, puis reprit avant qu'elle ait pu l'interrompre. Aussi brièvement que possible, il expliqua la situation. Pour son propre moral autant que celui de sa femme, il n'élimina pas tout espoir.

« Tout le monde fait son possible », dit-il. « Peut-être pourra-t-on m'envoyer un vaisseau à temps. Mais au cas où ça ne serait pas faisable... eh bien, je voulais te parler, ainsi qu'aux enfants. »

Elle réagit bien ; il n'en attendait pas moins d'elle. C'est avec fierté autant qu'avec tendresse qu'il entendit sa réponse lui parvenir de l'hémisphère nocturne.

« Ne t'en fais pas, Cliff ! Je suis sûre qu'on va te tirer de là, et que nous pourrons finalement partir en vacances exactement comme prévu. »

« Je le crois aussi », mentit-il. « Mais, à tout hasard, voudrais-tu éveiller les enfants ? Ne leur dis pas que j'ai des ennuis. »

Il y eut trente secondes interminables avant que lui parviennent leurs voix somnolentes et pourtant surexcitées. Cliff eût volontiers sacrifié ces dernières heures de sa vie pour revoir une dernière fois leur visage, mais l'équipement de la cabine ne permettait pas ce luxe. Peut-être cela valait-il mieux, car il n'aurait pu cacher la vérité s'il les avait regardés dans les yeux. Ils la connaîtraient bien assez tôt, mais non de sa bouche. Il dut faire appel à toute sa maîtrise de soi quand Brian lui rappela la poussière de Lune qu'il avait oublié d'apporter la fois précédente — il y avait pensé cette fois-ci.

« Je l'ai, Brian ! Elle est dans un bocal juste à côté de moi. Bientôt, tu pourras la montrer à tes amis. » (En fait, bientôt elle serait de retour sur le monde dont elle venait !) « Et Susie : sois sage, et obéis bien à maman. Ton dernier bulletin scolaire n'était pas fameux, tu sais, surtout ces remarques sur ta conduite... Oui, Brian, j'ai les photos, et aussi la pierre d'Aristarque. »

Il était dur de mourir à trente-cinq ans ; mais il était dur aussi, pour un fils, de perdre son père à dix ans. Quel souvenir Brian aurait-il de lui dans les années à venir ? Peut-être rien de plus qu'une foix faiblissante venue de l'espace : il avait passé si peu de temps sur Terre ! Dans les quelques dernières minutes, tandis que sa trajectoire le lançait dans l'espace puis le ramenait vers la Lune, il ne pouvait guère faire grand-chose d'autre que de projeter son amour et ses espoirs à travers le vide qu'il ne franchirait plus jamais. Le reste ne dépendait que de Myra.

Une fois les enfants partis, heureux mais perplexes, il y avait des choses sérieuses à faire. C'était le moment de garder la tête froide, d'avoir le sens des affaires et l'esprit pratique : Myra aurait à affronter l'avenir sans lui, mais du moins pouvait-il rendre la transition plus aisée. Quoi qu'il arrive à l'individu, la vie continue ; et, pour l'homme moderne, la vie implique hypothèques et versements échelonnés, polices d'assurance et comptes joints. De façon presque impersonnelle, comme s'il s'agissait de quelqu'un d'autre — ce qui bientôt ne serait que trop vrai —, Cliff se mit à parler de ces questions. Il y avait un temps pour le cœur et un autre pour le cerveau. Le cœur aurait le dernier mot dans trois heures, lorsque commencerait l'approche finale de la surface lunaire.

Personne ne les interrompit. Il devait y avoir des gens à l'écoute en silence pour maintenir la liaison entre les deux mondes, mais tous deux auraient pu se croire les seuls êtres vivants au monde. Parfois, tout en parlant, Cliff laissait ses yeux se tourner vers le périscope, et il était ébloui par l'éclat de la Terre, qui avait maintenant accompli plus de la moitié de son ascension dans le ciel. Il était impossible de croire qu'elle abritait sept milliards d'âmes : il n'y en avait que trois qui comptaient pour lui maintenant.

Il aurait dû y en avoir quatre, mais avec la meilleure volonté du monde il ne pouvait mettre le bébé sur le même pied que les autres. Il n'avait jamais vu son plus jeune fils, et maintenant il ne le verrait jamais.

Vint enfin le moment où il ne trouva plus rien à dire. Il y avait des choses pour lesquelles une vie entière ne suffisait pas, mais une heure pouvait être de trop. Il ressentait un grand épuisement physique et affectif, et pour Myra la tension avait dû être terrible aussi. Il souhaitait être seul avec ses pensées et avec les étoiles, pour se recueillir et faire sa paix avec l'univers.

« Je voudrais interrompre la communication pour une heure environ, chérie », dit-il. Il n'y avait pas besoin d'explications : ils se comprenaient trop bien. « Je te rappellerai dans... dans un bon bout de temps. Pour le moment, au revoir. »

Il attendit les deux secondes et demie nécessaires pour qu'un au revoir lui parvienne en réponse de la Terre, puis coupa le contact et resta le regard vide fixé sur le petit tableau de bord. Soudain, sans qu'il l'ait prévu ni voulu, les larmes lui montèrent aux yeux, et il se trouva en train de pleurer comme un enfant.

Il pleura sur sa famille et sur lui-même. Il pleura sur l'avenir qui aurait pu être, et sur les espoirs qui seraient bientôt réduits en une vapeur incandescente à la dérive parmi les étoiles. Et il pleura parce qu'il n'y avait rien d'autre à faire.

Au bout d'un moment, il se sentit mieux. De fait, il s'aperçut qu'il avait grand faim. A quoi bon mourir l'estomac vide ? Il se mit à fouiller parmi les rations pour astronautes dans la minuscule cambuse. Il pressait un tube de pâté poulet-jambon entre ses lèvres quand le poste de contrôle appela.

Il y avait une voix nouvelle au bout de la ligne, une voix lente et ferme, respirant la compétence : c'était celle d'un homme qui ne tolérerait pas de caprices de la part de mécanismes inertes.

« Ici Van Kessel, Chef de l'Entretien à la Division des Véhicules Spatiaux. Ecoutez bien, Leyland, nous pensons avoir trouvé une issue. C'est aléatoire, mais c'est la seule chance qui vous reste. »

Les alternances d'espoir et de désespoir sont dures pour le

système nerveux. Cliff fut soudain pris de vertige ; il serait tombé, s'il y avait eu une direction dans laquelle tomber.

« Allez-y », fit-il faiblement quand il se fut repris. En écoutant Van Kessel, son vif intérêt se changea peu à peu en incrédulité.

« Je n'y crois pas ! » s'écria-t-il enfin. « Ça ne tient pas debout. »

« On ne discute pas avec les ordinateurs ! » répondit Van Kessel. « Ils ont vérifié les calculs d'une vingtaine de façons différentes. Et ça tient parfaitement debout. Vous n'irez pas si vite à l'apogée ; pas besoin alors d'une bien forte poussée pour changer d'orbite. Je suppose que vous n'avez jamais porté d'équipement spatial ? »

« Non, bien sûr. »

« C'est dommage, mais tant pis. Si vous suivez les instructions, vous ne pouvez pas vous tromper. Vous trouverez la combinaison dans un casier au fond de la cabine. Pour l'en tirer, brisez les plombs. »

Cliff fit un petit vol plané — du tableau de bord au fond de la cabine il y avait un bon mètre quatre-vingts ! — et tira sur la manette portant l'indication « À N'OUVRIR QU'EN CAS DE BESOIN - COMBINAISON SPATIALE TYPE 17 ». La porte s'ouvrit. Un tissu argenté pendait mollement devant lui.

« Ne gardez que vos sous-vêtements et enfilez ça », dit Van Kessel. « Ne vous occupez pas du nécessaire de survie : il s'accroche après. »

« J'y suis », fit bientôt Cliff. « Qu'est-ce que je fais maintenant ? »

« Vous attendez vingt minutes ; on vous donnera alors le signal pour ouvrir le sas et sauter. »

Le mot « sauter » prit soudain tout son sens. Cliff parcourut des yeux la petite cabine maintenant familière, sécurisante, puis il évoqua la solitude vide entre les étoiles, l'abîme sans écho où un homme peut tomber jusqu'à la fin des temps.

Il n'avait jamais été en plein espace : il n'y avait aucune raison pour qu'il s'y trouve. Il n'était qu'un fils d'agriculteur, qui avait passé une maîtrise d'agronomie, avait été affecté à la Mise en Valeur du Sahara, puis à des essais de culture sur la

Lune. Il n'était pas fait pour l'espace ; il appartenait aux mondes de terreau et de roches, de poussière lunaire et de pierre ponce formée dans le vide.

« Je ne peux le faire », chuchota-t-il. « N'y a-t-il pas d'autre moyen ? »

« Aucun », trancha Van Kessel. « Nous faisons l'impossible pour vous sauver : ce n'est pas le moment de se laisser aller à la névrose. Des dizaines d'hommes se sont trouvés dans des situations bien pires : grièvement blessés, pris au piège dans des épaves à un million de kilomètres de tout secours. Vous, vous n'avez pas une égratignure, et déjà vous poussez des hurlements ! Ressaisissez-vous... sinon, on coupe le contact et on vous laisse mariner dans votre jus. »

Cliff se mit à rougir peu à peu, et il lui fallut plusieurs secondes avant de pouvoir répondre.

« Ça va », dit-il enfin. « Revoyons ces instructions. »

« J'aime mieux ça », approuva Van Kessel. « Dans vingt minutes, quand vous atteindrez l'apogée, vous pénétrerez dans le sas. A partir de ce moment-là, nous ne serons plus en communication : la radio de votre combinaison a une portée de quinze kilomètres seulement. Mais nous vous suivrons au radar, et nous pourrons de nouveau vous parler quand vous repasserez au-dessus de nous. Et maintenant, les commandes de votre combinaison... »

Les vingt minutes passèrent bien assez vite. A leur terme, Cliff savait exactement ce qu'il devait faire. Il en était même venu à croire que ça pouvait marcher.

« Voilà le moment de sauter », dit Van Kessel. « La capsule est bien orientée : le sas est dans la direction qui vous convient. Mais ce n'est pas la direction qui est cruciale : l'important, c'est la *vitesse*. Mettez dans ce saut tout ce dont vous êtes capable... et bonne chance ! »

« Merci », répondit Cliff, faute de mieux. « Et excusez-moi de... »

« N'y pensez plus ! » coupa Van Kessel. « Et maintenant, à l'action ! »

Pour la dernière fois, Cliff parcourut des yeux la petite cabine, se demandant s'il n'avait rien oublié. Tous ses biens personnels devraient être abandonnés, mais il ne serait pas difficile de les remplacer. Il pensa alors au petit bocal de poussière de lune qu'il avait promis à Brian : cette fois il ne décevrait pas le petit garçon. La masse très réduite de l'échantillon — quelques dizaines de grammes seulement — ne changerait rien à son sort. Il noua une ficelle au col du bocal et l'attacha au harnachement de sa combinaison.

Le sas était si petit qu'il n'y avait littéralement pas la place de bouger : Cliff resta pris en sandwich entre les portes intérieure et extérieure jusqu'à la fin du pompage automatique de l'air. Puis la cloison s'écarta lentement et, ouverte, le laissa face aux étoiles.

Il se hissa hors du sas maladroitement avec ses doigts gantés, et se campa fermement sur la coque à la courbe prononcée en se cramponnant au câble de sécurité. La beauté qui s'offrait à lui le laissa presque pétrifié. Il oublia toutes ses craintes de vertige et d'insécurité en contemplant le spectacle qui l'entourait, libéré des limites étroites du champ du périscope.

La Lune était un croissant gigantesque, la limite entre les zones diurne et nocturne une arche déchiquetée qui enjambait un quart du ciel. En bas, le Soleil se couchait, au début de la longue nuit lunaire, mais les sommets de pics isolés étincelaient encore dans la dernière lumière du jour — défi jeté aux ténèbres qui déjà les avaient encerclés.

Mais ces ténèbres n'étaient pas totales. Bien que le Soleil eût abandonné le terrain au-dessous, une Terre presque pleine le baignait de splendeur. Cliff apercevait, dans le clair de Terre miroitant, le tracé léger mais net des mers et des hauteurs, les pics comme de pâles étoiles, les cercles sombres des cratères. Il volait au-dessus d'une planète endormie, fantomatique — une planète qui essayait de l'attirer vers sa mort. Pour l'instant, il restait en suspens au plus haut point de son orbite, exactement sur une ligne entre la Lune et la Terre. C'était le moment de partir.

Il fléchit les jambes, s'accroupissant contre la coque. Puis, de toutes ses forces, il s'élança vers les étoiles, laissant filer le câble de sécurité derrière lui.

La capsule s'éloigna avec une surprenante rapidité, et il se sentit à mesure envahi d'une sensation des plus inattendues. Il avait prévu terreur ou vertige, non cette indubitable et obsédante impression de familiarité. Tout cela était déjà arrivé avant — non à lui, bien sûr, mais à quelqu'un d'autre. Il ne pouvait mettre le doigt sur ce souvenir, et le temps manquait pour le débusquer maintenant.

Il jeta un rapide coup d'œil à la Terre, à la Lune et au vaisseau spatial qui s'éloignait, et prit sa décision sans réflexion consciente. Le largage d'urgence claqua, le câble fila en coup de fouet. Il était maintenant seul, à trois mille kilomètres au-dessus de la Lune, à quatre cent mille kilomètres de la Terre. Il ne pouvait rien faire d'autre que d'attendre : c'est dans deux heures et demie seulement qu'il saurait s'il avait la vie sauve, si ses muscles avaient accompli la tâche que n'avaient pas réussie les fusées.

Et, tandis que les étoiles tournaient lentement autour de lui, l'origine du souvenir qui le hantait lui revint soudain. Il y avait de nombreuses années qu'il avait lu les contes d'Edgar Poe, mais qui pourrait jamais les oublier ?

Lui aussi était pris dans un maelström, dans un tourbillon fatal qui l'entraînait vers le bas ; lui aussi espérait y échapper en abandonnant son vaisseau. Bien que les forces en présence fussent totalement différentes, le parallèle était frappant. Le pêcheur de Poe s'était arrimé à un tonneau parce que les objets trapus et cylindriques étaient aspirés dans le grand tourbillon moins vite que le navire. C'était une brillante application des lois de l'hydrodynamique. Cliff ne pouvait qu'espérer que l'usage qu'il faisait de la mécanique céleste s'avérerait tout aussi inspiré.

A quelle vitesse s'était-il élancé de la capsule ? Bien huit kilomètres à l'heure, sûrement ! Pour dérisoire que fût cette vitesse à l'échelle astronomique, elle devrait suffire à le propulser sur une nouvelle orbite. Celle-ci, lui avait promis Van Kessel, éviterait la Lune de plusieurs kilomètres — marge bien mince, mais suffisante sur ce monde où il n'y avait pas d'atmosphère pour le freiner et le faire tomber.

Avec un brusque pincement au cœur de culpabilité, Cliff

s'avisa qu'il n'avait pas adressé ce second appel à Myra. C'était la faute de Van Kessel : l'ingénieur l'avait tenu sans cesse sur la brèche, ne lui laissant pas le temps de songer à ses questions personnelles. Mais c'est Van Kessel qui avait raison : dans une situation comme ça, un homme ne pouvait penser qu'à lui-même. Toutes ses ressources, mentales et physiques, devaient être consacrées à sa survie. Ce n'était ni le moment ni l'endroit pour les liens affectifs qui empêchent de se concentrer et affaiblissent.

Il filait maintenant vers le côté nocturne de la Lune, et le croissant éclairé se réduisait sous ses yeux. Le disque du Soleil à l'éclat intolérable — il n'osait tourner les yeux vers lui — tombait rapidement vers l'horizon incurvé. Le croissant de décor lunaire se réduisit à une ligne flamboyante, un arc de feu sur le fond des étoiles. Puis cet arc se fragmenta en une douzaine de perles brillantes, qui l'une après l'autre s'éteignirent tandis qu'il se précipitait dans l'ombre de la Lune.

Une fois le Soleil disparu, le clair de Terre semblait plus brillant que jamais, jetant sur sa combinaison un glaçage d'argent dans sa lente rotation sur son orbite. Chaque révolution lui prenait environ dix secondes ; il ne pouvait rien faire pour s'arrêter de tourner sur lui-même ; d'ailleurs cette vue qui changeait constamment était la bienvenue. Maintenant que ses yeux n'étaient plus distraits par de fugitives visions du Soleil, ils découvraient des étoiles par milliers là où auparavant il n'y en avait que des centaines, torrent de lumière qui noyait les constellations familières et où même les planètes les plus brillantes étaient difficiles à discerner.

Le disque sombre de la surface lunaire plongée dans la nuit s'étendait à travers le champ des étoiles qu'il éclipsait, et grandissait lentement à mesure que Cliff tombait vers lui. A chaque instant, quelque étoile, brillante ou pâle, passait derrière le bord et cessait d'exister. On aurait dit qu'un trou se creusait dans l'espace, engloutissant les cieux.

Rien d'autre n'indiquait son mouvement, ni le passage du temps, à part sa rotation régulière de dix secondes. Quand il regarda sa montre, il fut stupéfait de voir qu'il y avait une demi-heure qu'il avait quitté la capsule. Il la chercha des yeux parmi les étoiles, mais en vain. Elle devait être désormais à plusieurs kilomètres en arrière. Mais bientôt elle le dépasserait, en parcourant son orbite plus basse, et serait la première à atteindre la Lune.

Cliff méditait encore ce paradoxe lorsque la tension des dernières heures, combinée à l'euphorie due à l'apesanteur, produisit un résultat qu'il n'aurait guère cru possible : bercé par le doux susurrement des arrivées d'air, flottant plus léger qu'une plume en tournant sous les étoiles, il s'enfonça dans un sommeil sans rêves.

Quand il s'éveilla, à quelque signal de son inconscient, la Terre approchait du bord de la Lune. Cette vision faillit déclencher une autre vague d'apitoiement sur lui-même, et il lui fallut lutter quelque temps pour maîtriser ses émotions. Peut-être était-ce la toute dernière vision qu'il aurait jamais de la Terre, son orbite le ramenant au-dessus de la face cachée, région où ne brillait jamais le clair de Terre. Les étincelantes calottes glaciaires de l'Antarctique, les écharpes de nuage de l'équateur, le scintillement du Soleil sur le Pacifique — tout s'enfonçait rapidement derrière les montagnes lunaires. C'était fini : il n'avait plus ni Soleil ni Terre pour l'éclairer, maintenant, et la surface invisible au-dessous était si sombre qu'il en avait mal aux yeux.

Surprise : un bouquet d'étoiles était apparu *à l'intérieur* du disque obsur, où la présence d'étoiles était totalement exclue. Cliff resta les yeux fixés sur elles, incrédule, pendant quelques secondes, avant de s'aviser qu'il passait au-dessus d'une des bases de la face cachée. Il y avait là, en bas, sous les dômes pressurisés de leur cité, des hommes qui attendaient la fin de la nuit lunaire — dormant, travaillant, aimant, se reposant, se querellant. Savaient-ils qu'il traversait leur ciel comme un invisible météore, filant au-dessus de leur tête à six mille kilomètres à l'heure ? C'était à peu près certain, car maintenant toute la Lune et toute la Terre devaient être au courant de sa situation. Peut-être cherchaient-ils à le repérer au radar et au télescope ; mais ils n'auraient guère de temps pour ce faire : au bout de quelques secondes, la cité inconnue avait disparu, et Cliff était seul à nouveau au-dessus de la face cachée.

Il lui était impossible de juger de son altitude au-dessus de cette immensité vide et nue, faute de la moindre impression d'échelle ni de perspective. Quelquefois il lui semblait qu'en tendant le bras il pourrait toucher la surface sombre que traversait sa course ; mais il savait bien qu'en réalité elle devait être encore à des kilomètres au-dessous de lui. Pourtant, il savait aussi qu'il descendait encore, et qu'à tout moment une des parois de cratères ou un des sommets de montagnes qui se tendaient invisibles vers lui pourrait d'un coup de griffe le décrocher du ciel.

Dans l'obscurité, quelque part devant lui, se trouvait l'ultime obstacle, le danger qu'il craignait par-dessus tout. Au beau milieu de la face cachée se dresse une muraille qui coupe l'équateur et s'étend du nord au sud sur plus de seize cents kilomètres : la Chaîne Soviétique. Lorsqu'elle avait été découverte en 1959, Cliff n'était qu'un petit garçon, mais il se souvenait encore de l'émotion avec laquelle il avait regardé les premières photos brouillées provenant de Lunik III. Il n'aurait jamais pu imaginer qu'un jour il volerait vers ces mêmes montagnes, attendant qu'elles décident de son sort.

La venue de l'aurore fut une éruption qui le prit totalement par surprise. Ce fut devant lui une explosion de lumière qui se propagea de pic en pic jusqu'à ce que tout l'arc de l'horizon fût enluminé de feu. Cliff jaillissait de la nuit lunaire et fonçait en plein vers le Soleil. Du moins ne mourrait-il pas dans les ténèbres. Mais le plus gros danger était encore à venir. Car maintenant il était presque de retour à son point de départ et approchait du point le plus bas de son orbite. Un coup d'œil au chronomètre de sa combinaison lui apprit que cinq bonnes heures s'étaient écoulées. Encore quelques minutes seulement, et il percuterait la Lune, ou bien l'effleurerait et repartirait dans l'espace sain et sauf.

Pour autant qu'il pût en juger, il était à moins de trente kilomètres au-dessus de la surface, et il descendait toujours, quoique très lentement maintenant. Au-dessous de lui, les longues ombres de l'aube lunaire étaient des poignards d'ombre pointés vers le territoire de la nuit. La lumière très rasante du Soleil amplifiait tous les reliefs du sol, donnant aux moindres collines l'aspect de montagnes. Et maintenant, Cliff ne pouvait s'y tromper, à mesure qu'il avançait le terrain s'élevait et se plissait, pour former les contreforts de la Chaîne Soviétique. A plus de cent cinquante kilomètres encore, mais s'approchant à seize cents mètres par seconde, une vague rocheuse montait de la surface de la Lune. Il ne pouvait rien faire pour l'éviter : sa trajectoire était déterminée et immuable. Tout ce qui pouvait être fait avait été fait deux heures et demie auparavant.

Ça ne suffisait pas ! Il n'allait pas passer au-dessus de ces montagnes ; c'est elles qui s'élevaient plus haut que lui !

Maintenant, il regrettait de n'avoir pas appelé une seconde fois comme promis la femme qui attendait encore à quatre cent mille kilomètres de là. Mais peut-être était-ce aussi bien, car il ne restait plus rien à dire.

D'autres appels se croisaient dans l'espace autour de lui : il était à nouveau à portée du Poste de Contrôle. Ces voix s'enflaient ou décroissaient selon que les montagnes entre lesquelles il filait faisaient ou non écran aux ondes radio. Elles parlaient de lui, mais c'est à peine s'il en prenait conscience. Il les écoutait avec un intérêt impersonnel, comme si c'étaient des messages qui venaient de très loin dans l'espace ou le temps et ne le concernaient pas. Une fois il entendit très distinctement Van Kessel dire : « Dites au commandant du *Callisto* que nous lui donnerons une orbite d'interception dès que nous saurons que Leyland a dépassé son périgée. La rencontre devrait se faire dans soixante-cinq minutes. » Désolé de vous décevoir, se dit Cliff, mais voilà un rendez-vous que je vais manquer.

Maintenant, la muraille rocheuse n'était plus qu'à quatre-vingts kilomètres, et après chaque rotation qu'il subissait dans l'espace, Cliff se retrouvait à une quinzaine de kilomètres plus près. Il n'y avait plus place pour l'optimisme maintenant, dans cette course plus rapide que celle d'une balle de fusil vers cette implacable barrière. C'était la fin, et soudain cela prit une très grande importance à ses yeux de savoir s'il affronterait la mort de face, les yeux ouverts, ou le dos tourné comme un lâche.

Un défilé rapide d'images de sa vie passée, Cliff n'en eut pas dans sa tête tandis qu'il comptait les dernières secondes qui lui restaient. Le paysage lunaire pivotait et se déroulait rapidement au-dessous de lui, chaque détail clair et net dans la lumière crue de l'aube. Tout de suite, il avait le dos tourné aux montagnes qui se précipitaient vers lui, et contemplait le chemin qu'il avait parcouru, le chemin qui aurait dû le ramener sur Terre. Il ne lui restait plus que trois de ses journées de dix secondes.

Soudain, une gigantesque explosion enflamma en silence tout le paysage. Une lumière aussi intense que celle du Soleil chassa les longues ombres, fit jaillir du feu des pics et des cratères qui s'étalaient au-dessous. Cela ne dura qu'une fraction de seconde et avait disparu complètement avant qu'il soit tourné vers sa source.

Juste en face de lui, à une trentaine de kilomètres seulement, un immense nuage de poussière se répandait vers les étoiles. C'était comme si un volcan avait fait éruption dans la Chaîne Soviétique — ce qui, bien sûr, était impossible. Tout aussi absurde était la seconde idée qui vint à l'esprit de Cliff : que, par quelque fantastique prouesse d'organisation et de logistique, la Section du Génie de la Face Cachée eût fait sauter l'obstacle qui se dressait sur son chemin.

Car il avait bel et bien disparu. La ligne de faîte qui approchait présentait une trouée en forme de morsure gigantesque ; des rochers et des débris jaillissaient encore d'un cratère qui n'existait pas cinq secondes plus tôt. Seule l'énergie d'une bombe atomique qu'on eût fait exploser avec précision au moment opportun devant lui aurait pu opérer un tel miracle. Et Cliff ne croyait pas aux miracles.

Il avait accompli une autre révolution complète, et était presque sur les montagnes, lorsqu'il s'avisa que, tout le temps, il y avait eu un bulldozer cosmique qui le précédait, invisible. L'énergie cinétique de la capsule abandonnée — mille tonnes se déplaçant à plus de quinze cents mètres par seconde — était bien suffisante pour pratiquer la brèche à travers laquelle il filait maintenant. L'impact de ce météore fait de main d'homme avait dû ébranler toute la face cachée.

La chance lui sourit jusqu'au bout. Une brève averse de particules crépita contre sa combinaison, et il eut un aperçu estompé de rochers rougeoyants et de nuages de fumée qui se dispersaient rapidement — un nuage sur la Lune, quel paradoxe ! Tout cela passa en un éclair au-dessous de lui ; déjà il avait traversé les montagnes et se retrouvait avec soulagement dans le vide, sans rien devant lui.

Quelque part dans ce ciel, dans une heure, tandis qu'il décrirait sa seconde orbite, le *Callisto* viendrait à sa rencontre. Mais rien ne pressait maintenant : il avait échappé au maelström. Pour le meilleur ou pour le pire, le don de la vie lui avait été accordé.

A quelques kilomètres à droite de sa trajectoire, il apercevait la piste de lancement comme une ligne tracée par une plume fine sur la surface de la Lune. Dans quelques instants, il serait à bonne distance pour communiquer par radio ; c'est maintenant avec gratitude et avec joie qu'il pourrait adresser ce second appel à la Terre, à la femme qui attendait toujours dans la nuit africaine.

Maelström II.
Première publication : *Playboy,* avril 1965.

CLARTÉS DANS L'ABIME

Après l'espace, la mer — alternance typique de Clarke entre ses deux amours cousines (cf. Livre d'or p. 19-20). Ecrite en décembre 1962, cette histoire a pour cadre Ceylan, cette île qui depuis 1954 est pour Clarke le paradis retrouvé, et qui ne s'appelait pas encore officiellement Sri Lanka ; mais les « clartés » du titre ne sont pas celles de la « terre resplendissante », traduction exacte du nom de ce pays. On remarquera à ce propos que l'étymologie de « Lanka » proposée au cours du récit est purement fantaisiste ; aussi bien, l'auteur l'attribue-t-il à un de ses personnages, qui a du farfelu en lui : c'est un peu une fausse piste pour ménager le suspense — fausse piste sur laquelle d'autres science-fictionnistes se seraient lancés allégrement pour donner à Ceylan un passé mythique riche en possibilités romanesques, alors que notre classique de la S.F. s'intéresse à son avenir technologique éventuel.

De l'imagination, il y en a pourtant ici : elle s'appuie, on le verra, sur une documentation précise ; mais il ne fait aucun doute qu'elle a sa source dans l'expérience vécue de l'auteur, qui a trouvé dans les abîmes marins, comme d'autres dans l'espace, cette « nouvelle frontière » où tout est possible, et où se raniment au cœur de l'homme blasé d'aujourd'hui les émerveillements et les terreurs de ses ancêtres.

Quand le standard me fit savoir que l'Ambassade soviétique était en ligne, ma première réaction fut : « Excellent ! Un autre boulot ! » Mais dès que j'entendis la voix de Gontcharov, je sus qu'il y avait des ennuis.

« Klaus ? C'est Mikhaïl. Pouvez-vous venir tout de suite ? C'est urgent, et je ne peux rien dire au téléphone. »

En route pour l'Ambassade, je n'ai pas arrêté de me tourmenter, et de rassembler des arguments pour me défendre au cas où quelque chose aurait mal tourné de notre côté. Mais je ne voyais pas ce que ça pouvait être : nous n'avions pas de contrats encore pendants avec les Russes, le dernier travail avait été exécuté depuis six mois, dans les délais, et à leur entière satisfaction.

Eh bien, ils n'en étaient plus satisfaits maintenant, comme je m'en aperçus bien vite. Mikhaïl Gontcharov, l'Attaché Commercial, était un vieil ami à moi ; il me dit tout ce qu'il savait, mais ça ne représentait pas grand-chose.

« Nous venons de recevoir un câble urgent de Ceylan », dit-il. « On a besoin de vous là-bas tout de suite : il y a de gros ennuis à l'installation hydrothermique. »

« Quelle sorte d'ennuis ? » demandai-je. Je n'ignorais pas, bien sûr, que ça devait concerner la partie profonde, car c'était la seule dont nous nous étions occupés. Les Russes avaient fait eux-mêmes tout le travail sur la terre ferme, mais il leur avait fallu faire appel à nous pour installer ces grilles à mille mètres de profondeur dans l'océan Indien. Aucune autre firme au monde ne peut se montrer à la hauteur de notre slogan : *Tous travaux à tous niveaux.*

« Tout ce que je sais », dit Mikhaïl, « c'est que les ingénieurs du chantier signalent une panne complète, que le Premier Ministre de Ceylan inaugure l'installation dans trois semaines, et que Moscou sera très, très mécontent si ça n'est pas alors en état de fonctionner. »

Je parcourus rapidement en esprit les clauses de notre contrat stipulant les responsabilités. La firme semblait couverte dans la mesure où le client avait signé la décharge, reconnaissant de ce fait que les travaux étaient conformes à ce qui avait été convenu. Mais ce n'était pas aussi simple que ça : si l'on pouvait prouver qu'il y avait eu négligence de notre part, nous étions peut-être à l'abri des procédures judiciaires, mais nos affaires en pâtiraient. Et moi, j'en pâtirais personnellement davantage encore, car c'est moi qui avais dirigé les travaux dans les Fonds de Trinco.

Ne me qualifiez pas de « plongeur », s'il vous plaît, je déteste cette appellation. Je suis ingénieur des fonds marins, et j'utilise un équipement de plongée à peu près aussi souvent qu'un aviateur utilise un parachute. La majeure partie de mon travail se fait au moyen de télévision et de robots télécommandés. Lorsqu'il me faut vraiment descendre en personne, je le fais à bord d'un sous-marin de poche muni de manipulateurs externes (baptisé « homard » à cause des pinces) ; le modèle standard opère jusqu'à quinze cents mètres de profondeur, mais il existe des versions spéciales capables de fonctionner au fond de la Fosse des Mariannes. Je n'y ai jamais été moi-même, mais je serais heureux de vous indiquer mes conditions si vous êtes intéressé ; pour vous donner une idée approximative du devis, cela fera trois dollars par mètre de profondeur, plus mille de l'heure pour le travail proprement dit.

Les Russes ne plaisantaient pas : Mikhaïl me dit qu'un avion à réaction était en attente à Zurich ; pouvais-je être à l'aéroport dans deux heures ?

« Ecoutez », dis-je, « je ne peux rien faire sans équipement, et même pour une simple inspection il en faut des tonnes. D'ailleurs, tout est à La Spezia. »

« Je sais », répondit Mikhaïl, inflexible. « Un autre avion à réaction y sera. Télégraphiez de Ceylan dès que vous saurez ce dont vous avez besoin, et l'avion de transport sera sur place dans les douze heures. Mais n'en parlez à personne : nous préférons garder pour nous nos problèmes. »

Là-dessus, j'étais d'accord, car c'était mon problème aussi. Au moment où je quittais le bureau, Mikhaïl montra du doigt le calendrier mural, dit : « Trois semaines », et se passa le doigt sur la gorge. Ce n'était pas, je le savais bien, à sa tête à lui qu'il faisait allusion.

Deux heures plus tard, je m'élevais au-dessus des Alpes, je disais au revoir à ma famille par radio, et je me demandais pourquoi je n'étais pas, comme tout autre Suisse doué de bon sens, devenu banquier ou horloger. C'était la faute des gens comme le Professeur Picard ou Hannes Keller, me disais-je, morose : quelle idée d'avoir lancé la spécialité des fonds marins... en Suisse !

Ensuite, je m'installai pour prendre un peu de sommeil, sachant que je n'en aurai guère dans les jours prochains.

Nous avons atterri à Trincomalee juste après l'aube. L'immense port, si complexe que je n'en ai jamais tout à fait saisi la géographie, était un dédale de caps, d'îles, de chenaux de liaison, et de bassins assez grands pour contenir toutes les marines du monde. Je voyais le centre de contrôle, grand bâtiment blanc de style plutôt flamboyant, sur un promontoire dominant l'océan Indien — site de pure propagande, mais, si j'avais été russe, j'aurais parlé bien sûr de « relations publiques ».

Non certes que je blâme mes clients : ils avaient de bonnes raisons d'être fiers. C'était la tentative la plus ambitieuse jamais faite pour exploiter l'énergie thermique de la mer. Ce n'était pas la première : il y avait eu celle, infructueuse, du savant français Georges Claude dans les années 30 ; celle, beaucoup plus considérable, faite à Abidjan dans les années 50.

Tous ces projets reposaient sur cette même donnée paradoxale : même sous les tropiques, la mer à seize cents mètres de profondeur est presque au point de congélation. Pour des milliards de tonnes d'eau, cette différence de température représente une quantité d'énergie colossale... et un beau défi pour les ingénieurs des pays qui en manquent.

Claude et ses épigones avaient essayé de capter cette énergie avec des machines à vapeur à basse pression ; les Russes avaient utilisé une méthode beaucoup plus simple et plus directe. Depuis plus de cent ans on savait que de nombreux matériaux sont parcourus de courants électriques si l'on chauffe une extrémité et refroidit l'autre ; et depuis les années 40, les savants russes n'avaient cessé de chercher des applications pratiques à cet effet thermo-électrique. Leurs premiers systèmes n'étaient pas très efficaces — mais capables quand même de faire fonctionner des milliers de radios grâce à la chaleur de lampes à pétrole. Mais en 1974 ils avaient fait une grande découverte, encore secrète. Bien que chargé de mettre en place les éléments thermo-électriques à l'extrémité froide de l'installation, je n'ai jamais vraiment vu ceux-ci : ils étaient complètement dissimulés par la peinture anticorrosive. Tout ce que je sais, c'est qu'ils formaient une grande grille, comme si on avait assemblé des quantités de radiateurs à vapeur à l'ancienne mode.

Une petite foule attendait au bord de la piste de Trinco ; la plupart des visages m'étaient connus ; amis ou ennemis, tous ces gens semblaient ravis de me voir, surtout l'ingénieur principal Chapiro.

« Eh bien, Lev », fis-je, une fois en route avec lui dans le break, « qu'est-ce qui ne va pas ? »

« Nous l'ignorons », répondit-il avec franchise. « C'est à vous de le découvrir... et d'y remédier. »

« Bon, alors, qu'est-ce qui s'est passé ? »

« Tout a marché à la perfection jusqu'aux essais à pleine puissance », répondit-il. « La production correspondait aux estimations à 5 % près, jusqu'à une heure trente-quatre du matin mardi. » Il fit la grimace : de toute évidence, cette heure s'était gravée dans son cœur. « Alors le voltage s'est mis à fluctuer violemment. On a donc réduit la tension et surveillé les compteurs. Je me disais qu'un imbécile de capitaine avait accroché les câbles — vous savez le mal qu'on s'est donné pour éviter ça —, et on a allumé les projecteurs pour voir ce qui se passait au large : il n'y avait pas un bateau en vue ; d'ailleurs, qui aurait eu l'idée de jeter l'ancre juste à l'extérieur du port par une nuit calme et claire ?

« On ne pouvait rien faire d'autre que de surveiller les instruments et continuer les essais : je vous montrerai tous les graphiques quand nous serons au bureau. Au bout de quatre minutes, il y a eu une rupture totale de circuit. On peut la localiser exactement, bien sûr : c'est dans la partie la plus profonde, en plein dans la grille. Il fallait que ce soit là-bas, plutôt qu'à cette extrémité-ci de l'installation ! » ajouta-t-il d'un air sombre, en montrant du doigt par la portière.

La voiture passait précisément devant le Bassin Solaire, équivalent de la chaudière dans une machine thermique classique. C'était une idée que les Russes avaient empruntée aux Israéliens. Il s'agissait tout simplement d'un lac peu profond noirci au fond et contenant une solution saline concentrée : cela constitue un piège à chaleur très efficace, et les rayons du soleil portent le liquide à près de 95°. Immergées dedans, à une profondeur qui faisait bien deux brasses, se trouvaient les grilles « chaudes » du couple thermo-électrique, reliées par des câbles massifs à mon domaine, qui fait 85° de moins et se situe 900 mètres plus bas, dans le canyon sous-marin qui aboutit à l'entrée même du port de Trinco.

« J'imagine que vous avez pensé aux tremblements de terre ? » lançai-je sans grand espoir.

« Nous avons vérifié, bien sûr : rien sur le sismographe. »

« Et les baleines ? Je vous avais prévenu qu'elles pourraient nous jouer des tours. »

Plus d'un an auparavant, quand on déroulait vers le large les conducteurs principaux, j'avais parlé aux ingénieurs du cachalot noyé qu'on avait trouvé empêtré dans un câble télégraphique à huit cents mètres de profondeur au large des côtes sud-américaines. On connaît une demi-douzaine de cas semblables ; mais le nôtre, apparemment, n'en était pas un.

« C'est la seconde chose à laquelle nous avons pensé », répondit Chapiro. « Nous avons pris contact avec le Bureau de la Pêche, la Marine et l'Aviation : pas de baleines le long des côtes. »

C'est alors que j'ai cessé de ratiociner, car mon oreille avait surpris quelque chose qui m'avais mis quelque peu mal à l'aise. Comme tout bon Suisse, j'ai un certain talent pour les langues, et j'ai acquis quelques notions de russe. Mais il n'y avait pas besoin d'être grand linguiste pour reconnaître le mot « sabotach » !

Il était prononcé par Dimitri Karpoukhine, conseiller politique pour cette entreprise. Je n'avais guère de sympathie pour lui, et les ingénieurs non plus : ils cherchaient parfois délibérément l'occasion de lui faire un affront. C'était un de ces communistes à l'ancienne mode qui ne sont jamais tout à fait dégagés de l'ombre de Staline ; il était plein de méfiance pour tout ce qui est extérieur à l'Union Soviétique, et pour la plus grande part de ce qu'il voyait à l'intérieur ! Le sabotage, c'était exactement l'explication propre à le séduire.

Il y avait certes un bon nombre de gens auxquels l'échec éventuel du programme énergétique de Trinco ne briserait pas précisément le cœur : sur le plan politique, le prestige de l'U.R.S.S. était engagé ; sur le plan économique, des milliards étaient en jeu, car si les centrales hydrothermiques s'avéraient un succès, elles pourraient entrer en compétition avec le pétrole, le charbon, la houille blanche et surtout l'énergie nucléaire.

Et pourtant, je ne pouvais vraiment croire à un sabotage : après tout, la Guerre Froide était terminée. Il n'était pas absolument impossible que quelqu'un eût fait une tentative maladroite pour s'emparer d'un échantillon de la grille, mais même cette solution-là semblait improbable : les gens qui, dans le monde entier, pouvaient s'attaquer à une telle tâche se comptaient sur les doigts de la main, et la moitié d'entre eux travaillaient chez moi.

La caméra de télévision sous-marine arriva le soir-même ; et, après toute une nuit de labeur, caméras, écrans de contrôle et câble coaxial (près de deux mille mètres) étaient chargés à bord d'une vedette. En sortant du port, je crus apercevoir une silhouette familière debout sur la jetée, mais elle était trop éloignée pour que j'eusse une certitude, et j'avais d'autres préoccupations. A dire vrai, je n'ai pas le pied marin, je ne me sens bien que *sous* la mer.

Nous avons fait un relèvement minutieux sur le phare de Round Island et avons pris position juste au-dessus de la grille. La caméra autopropulsée, bathyscaphe nain, est passée par-dessus bord ; les yeux fixés sur les écrans, nous avons plongé avec elle en esprit.

L'eau était extrêmement claire, et extrêmement vide, mais vers le fond quelques signes de vie apparurent. Un petit requin vint nous regarder. Puis une masse de gelée palpitante passa à la dérive, suivie par une espèce de grosse araignée avec des centaines de pattes velues qui s'entortillaient et s'emmêlaient. Finalement apparut la paroi en pente du cañon. Nous étions en plein sur l'objectif, car les gros câbles qui disparaissaient dans les profondeurs étaient là, exactement tels que je les avais vus lorsque j'avais fait l'ultime vérification de l'installation six mois auparavant.

Je mis en marche les petits réacteurs et laissai la caméra descendre le long des câbles électriques. Ils semblaient en parfait état, toujours fermement ancrés au rocher par les pitons que nous y avions enfoncés : aucune anomalie... jusqu'à ce que j'atteigne la grille.

Avez-vous jamais vu la calandre d'une voiture qui s'est jetée contre un réverbère ? Eh bien, une partie de la grille ressemblait beaucoup à ça : on aurait dit qu'un fou l'avait défoncée avec un marteau-pilon.

J'entendis les gens qui regardaient par-dessus mon épaule haleter de surprise et de colère ; le mot « sabotach » fut à nouveau murmuré, et pour la première fois je commençai à le prendre au sérieux. La seule autre explication qui se tînt était la chute d'un rocher, mais on avait soigneusement examiné les pentes du cañon pour éliminer cette éventualité.

Quelle que fût la cause, il fallait remplacer la grille endommagée, ce qui ne pouvait se faire avant que mon « homard » — une bonne vingtaine de tonnes — ait été amené par avion des chantiers navals de La Spezia où il était remisé dans l'intervalle des contrats.

« Eh bien », fit Chapiro, lorsque j'eus fini mon inspection *de visu* et photographié le triste spectacle que présentaient les écrans, « combien de temps faudra-t-il ? »

Je refusai de m'engager. La première chose que j'aie apprise dans le domaine des travaux sous-marins, c'est que rien ne tourne jamais comme prévu. Les estimations en coût et en temps ne peuvent jamais être fermes, car c'est seulement lorsqu'on a fait la moitié du travail qu'on se rend compte des difficultés.

Comme dans mon for intérieur je prévoyais trois jours, je dis : « Si tout va bien, ça ne devrait pas prendre plus d'une semaine. »

Chapiro poussa un gémissement : « Vous ne pouvez pas faire plus vite ? »

« Je ne veux pas tenter le destin en faisant des promesses

imprudentes. De toute façon, ça vous laisse quinze jours avant la date limite. »

Il lui fallut se contenter de ça, bien qu'il ne cessât de me harceler pendant tout le trajet de retour. Une fois au port, il eut autre chose à penser.

« Bonjour, Joe », dis-je à l'homme qui attendait toujours patiemment sur la jetée. « Il m'avait bien semblé te reconnaître en partant. Qu'est-ce que tu fais là ? »

« J'allais te poser la même question ! »

« Tu ferais mieux de t'adresser à mon patron. Monsieur l'Ingénieur-chef Chapiro, permettez-moi de vous présenter Joe Watkins, correspondant scientifique de *Time*. »

La réaction de Lev fut rien moins que cordiale. En temps normal, il n'y avait rien qui lui plût autant que de parler à des journalistes, lesquels se présentaient à la cadence d'environ un par semaine. Maintenant qu'approchait la date fixée, ils allaient accourir de toutes les directions. Y compris, bien entendu, de Russie. Et, actuellement, l'agence Tass serait tout aussi importune que *Time*.

Karpoukhine prit en mains la situation de façon amusante à observer : désormais Joe fut flanqué en permanence, comme guide, philosophe et compagnon de beuverie tout à la fois, d'un jeune homme aux manières suaves de la catégorie « relations publiques » appelé Serghieï Markov ; Joe avait beau faire, ils restaient inséparables.

Au milieu de l'après-midi, épuisé par une longue conférence dans le bureau de Chapiro, je les rejoignis pour un déjeuner tardif au centre d'accueil gouvernemental.

« Qu'est-ce qui se passe ici, Klaus ? » demanda Joe d'un ton à faire pitié. « Ça sent les embêtements à plein nez, mais personne ne veut l'admettre. »

Très absorbé par mon cari, dans lequel je m'efforçais de faire le tri entre les morceaux inoffensifs et ceux qui m'emporteraient le sommet du crâne, je répondis : « Tu ne voudrais tout de même pas que je discute des affaires d'un client. »

« Tu étais plus bavard », me rappela Joe, « quand tu faisais les relevés pour le barrage de Gibraltar ! »

« Eh bien, oui ! » admis-je. « Et je te suis reconnaissant de la publicité que tu m'as faite. Mais, cette fois-ci, des secrets professionnels sont en jeu. Je fais... euh... quelques mises au point de dernière minute pour améliorer le rendement du système. »

Ce qui était l'exacte vérité : j'espérais bel et bien faire grimper le rendement au-dessus de son chiffre actuel : zéro.

« Hum ! » fit Joe d'un ton sarcastique. « Merci beaucoup. »

« Et toi », dis-je pour détourner son attention, « quelle est ta toute dernière théorie farfelue ? »

Pour un écrivain scientifique de haute compétence, Joe avait un curieux penchant pour le bizarre et l'improbable. C'est peut-être une forme d'évasion : j'ai l'avantage de savoir qu'il écrit aussi de la science-fiction, secret dont ses patrons sont soigneusement tenus ignorants. Il a une passion cachée pour les esprits frappeurs, la perception extra-sensorielle et les soucoupes volantes, mais les continents perdus sont sa véritable spécialité.

« C'est vrai, je suis en train de creuser deux ou trois idées », avoua-t-il. « Elles me sont venues pendant mes recherches sur cette histoire-ci. »

« Continue », fis-je, n'osant lever les yeux du cari que j'analysais.

« L'autre jour, je suis tombé sur une très vieille carte — de Ptolémée, si tu veux le savoir — qui représentait Ceylan. Ça m'a rappelé une autre vieille carte que j'ai dans ma collection, et que je suis allé chercher. Il y avait la même montagne au centre, le même réseau fluvial : mais c'était une carte de l'Atlantide ! »

« Ah, non ! » fis-je en gémissant. « A notre dernière rencontre, tu m'as convaincu que l'Atlantide était le bassin de la Méditerranée occidentale. »

Joe m'adressa son large sourire charmeur : « J'ai pu me tromper, non ? Mais j'ai une pièce à conviction plus frappante encore. Quel est le vieux nom local de Ceylan, qui est d'ailleurs le nom cingalais moderne ? »

Je réfléchis un instant, puis m'exclamai : « Bon Dieu ! Lanka, bien sûr ! Lanka... Atlantis. » Je répétai les deux mots en en détaillant la prononciation.

« Exactement », reprit Joe. « Mais deux indices, même remarquables, ne constituent pas une théorie pleine et entière ; et, pour l'instant, je ne suis pas allé plus loin. »

« Dommage », fis-je avec une déception sincère. « Et ton autre projet ? »

Ça, ça va vraiment te faire de l'effet », répondit-il d'un air avantageux. Il plongea la main dans la serviette défraîchie qu'il portait toujours et en sortit une liasse de documents.

« Cet événement n'a eu lieu qu'à trois cents kilomètres d'ici, et il y a à peine plus d'un siècle. Mes sources, comme tu le remarqueras, sont parmi les plus dignes de foi. »

Il me passa une photocopie : c'était une page du *Time* de Londres daté du 4 juillet 1874. Je me mis à lire sans grand enthousiasme, car Joe exhibait sans cesse des coupures de presse anciennes ; mais mon apathie fut vite dissipée.

En bref — j'aimerais le citer intégralement, mais si vous souhaitez plus de détails la bibliothèque du coin peut vous en obtenir un fac-similé en dix secondes — l'article disait que *la Perle*, goélette de 150 tonneaux, avait quitté Ceylan au début de mai 1874 et s'était trouvée encalminée dans le golfe du Bengale ; et que le 10 mai, juste avant la tombée de la nuit, un énorme calmar avait fait surface à un demi-mille du bateau, sur lequel le capitaine eut la bêtise d'ouvrir le feu avec sa carabine.

Le calmar fonça droit sur *la Perle*, agrippa les mâts avec ses tentacules, tira, et coucha la goélette sur le flanc ; celle-ci coula en quelques secondes, entraînant deux membres de l'équipage dans la mort. Les autres ne durent leur salut qu'à un heureux hasard : le vapeur *Strathowen*, de la Compagnie Péninsulaire et Orientale, était en vue et avait assisté à la scène.

« Eh bien ! » dit Joe lorsque j'eus fait une seconde lecture, « qu'est-ce que tu en penses ? »

« Je ne crois pas aux monstres marins. »

« Le *Time,* répliqua Joe, « ne donne guère dans le journalisme à sensation. Et les calmars géants, ça existe, même si les plus gros spécimens connus sont faibles et flasques et ne pèsent pas plus d'une tonne, tout en ayant des membres de douze mètres de long. »

« Et alors ? Un tel animal serait incapable de faire chavirer une goélette de cent cinquante tonneaux. »

« Exact... mais il ne manque pas de preuves que le prétendu calmar *géant* n'est en fait qu'un *grand* calmar. Il se peut qu'il y ait dans la mer des céphalopodes qui soient vraiment des géants. Tiens ! un an seulement après l'affaire de *la Perle,* au large des côtes du Brésil, on a vu un cachalot se débattre dans une colossale étreinte qui l'a finalement entraîné vers le fond. Tu en trouveras le récit dans l'*Illustrated London News* du 20 novembre 1875. Et puis, bien sûr, il y a ce chapitre dans *Moby Dick...* »

« Quel chapitre ? »

« Celui qui est intitulé CALMAR, bien sûr ! On sait que Melville était un observateur minutieux, mais là il se laisse vraiment aller. Il décrit une journée calme où une grande masse blanche a surgi de la mer « comme une avalanche de neige qui vient de dévaler un versant ». Et la scène se passe ici, dans l'Océan Indien, à un millier de milles au sud du lieu où coula *la Perle*. Conditions météorologiques identiques, remarque-le bien.

« Ce que l'équipage du *Pequod* vit flotter sur l'eau — je sais ce passage par cœur tant je l'ai étudié de près —, c'était une "énorme masse charnue, qui avait une longueur et une largeur de plusieurs encablures, une couleur crème luisante et des tentacules immenses et innombrables qui rayonnaient du centre et se tordaient en tous sens comme un nid d'anacondas". »

« Un instant », dit Serghieï, qui avait écouté tous ces propos avec une profonde attention. « Qu'est-ce qu'une encablure ? »

Joe eut l'air quelque peu embarrassé : « Eh bien, à vrai dire, cela fait dans les deux cents mètres. »

Il leva la main pour calmer nos rires incrédules : « Oh ! je suis certain que Melville ne prenait pas ça au pied de la lettre. Voilà un homme qui avait tous les jours affaire à des cachalots, et qui à l'improviste a eu besoin d'une unité de longueur

48

convenant à quelque chose de beaucoup plus grand. Pris de court, il a sauté sans réfléchir des brasses aux encablures[1]. Telle est en tout cas ma théorie. »

« Si tu crois », dis-je en repoussant ce qui restait de mon cari — les parties intouchables —, « m'avoir flanqué la frousse au point que j'abandonne mon travail, tu as lamentablement échoué. Mais je te promets une chose : quand je rencontrerai un calmar géant, j'en rapporterai un tentacule en souvenir. »

Vingt-quatre heures plus tard, j'étais là-bas dans le « homard », en train de plonger lentement vers la grille endommagée. Il n'y avait aucun moyen de garder le secret sur cette opération, de sorte qu'elle avait un spectateur plein d'intérêt en la personne de Joe, à bord d'une vedette qui croisait dans les parages. Ce n'était pas mon problème, mais celui des Russes : j'avais suggéré à Chapiro de le mettre dans la confidence, mais bien sûr Karpoukhine, en bon Slave soupçonneur, y avait mis son véto. Il était littéralement visible qu'il se disait : « Pourquoi donc un reporter américain se pointe-t-il juste en ce moment ? »... en négligeant la réponse évidente : Trincomalee faisait maintenant la une de l'actualité.

Les opérations en eaux profondes n'ont strictement rien de sensationnel ni de prestigieux... si on les accomplit correctement. Le sensationnel témoigne d'un manque de prévoyance, ce qui est un signe d'incompétence. Et les gens incompétents ne font pas long feu dans ce métier, non plus que ceux qui ont soif de sensationnel. J'abordais ma tâche avec toute l'émotion contenue d'un plombier confronté avec un robinet qui fuit.

Les grilles avaient été conçues pour faciliter leur entretien, puisque tôt ou tard il faudrait les changer. Heureusement, les

1. Le texte de Melville porte le mot « furlong », à l'origine longueur d'un sillon (« furrow »), faisant 1/8e de « mile », soit 201 mètres. L'encablure, mesure de distance, était d'abord — d'où son nom — utilisée pour la longueur des câbles d'ancre. La brasse (1,60 m) et le « fathom » anglais (6 pieds, soit environ 1,80 m) sont donc d'un ordre de grandeur cent fois moindre (*N.d.T.*).

pas de vis étaient intacts, et la clé mécanique vint facilement à bout des écrous de fixation. Puis j'embrayai les pinces géantes, avec lesquelles je pus enlever la grille endommagée sans la moindre difficulté.

Pour une opération sous-marine, la hâte est une mauvaise tactique. Si on essaie d'en faire trop à la fois, on risque de commettre des erreurs. Et si tout se passe bien et qu'on finisse en un jour le travail dont on a dit qu'il prendrait une semaine, le client a l'impression de ne pas en avoir eu pour son argent. Malgré ma certitude de pouvoir remplacer la grille ce même après-midi, je suivis l'élément endommagé à la surface et fermai boutique pour la journée.

On expédia l'élément thermique à l'autopsie, et je passai le reste de la soirée à éviter Joe. Trinco n'est pas une bien grande ville, mais je parvins à ne pas croiser son chemin en me rendant au cinéma de l'endroit et en endurant un interminable film tamil où, pendant plusieurs heures d'affilée, trois générations successives subissaient les mêmes tragédies domestiques — erreurs d'identité, ivrognerie, abandon familial, mort, folie —, le tout en technicolor et avec le son à plein volume.

Le lendemain matin, malgré un léger mal de tête, j'étais sur les lieux peu après l'aube. Joe aussi, et Serghieï de même, prêts pour une calme journée de pêche. Je leur fis de joyeux signes de la main en grimpant dans le « homard », que la grue du bateau auxiliaire mit à la mer. C'est de l'autre côté, à l'abri des regards de Joe, qu'on fit descendre la grille de rechange. A quelques brasses de profondeur, je la décrochai de la grue et la transportai avec le sous-marin jusqu'au bas des Fonds de Trinco, où sans la moindre anicroche elle était installée dès le milieu de l'après-midi. Avant que je refisse surface, les écrous de fixation avaient été serrés, les conducteurs soudés, et les ingénieurs à terre avaient achevé de vérifier la continuité des circuits. Lorsque je remontai sur le pont, le réseau était à nouveau sous tension : tout avait repris son cours normal, et même Karpoukhine souriait... sauf lorsqu'il s'avisa de se poser la question à laquelle personne n'avait encore trouvé de réponse.

Je me cramponnais toujours à la théorie de la chute d'un rocher... faute de mieux. Et j'espérais que les Russes l'accepteraient, et que nous pourrions cesser de jouer avec Joe à cette stupide comédie d'espionnage.

Ce beau rêve s'envola lorsque Chapiro et Karpoukhine vinrent tous deux ensemble me voir, la mine longue d'une aune. « Klaus », dit Lev, « nous désirons que vous redescendiez. »

« C'est vous qui payez », répondis-je. « Mais pour quoi faire ? »

« Nous avons examiné la grille endommagée, et il y a une section de l'élément thermique qui manque. Dimitri pense que... quelqu'un l'a détachée à dessein pour l'emporter. »

« Eh bien, celui qui l'a fait est bigrement maladroit ! Certainement pas un de mes hommes, je peux vous l'assurer ! »

Faire de telles plaisanteries en présence de Karpoukhine, c'était risqué, et personne n'y trouva le moindre sel. Pas même moi. Car j'en étais venu à me dire qu'il n'avait peut-être pas tort.

Le soleil se couchait lorsque j'entrepris ma dernière plongée dans les Fonds de Trinco, mais la fin du jour n'a pas de sens dans ces sombres profondeurs. Je descendis de six cents mètres sans lumière, car j'aime contempler les créatures lumineuses de la mer — éclairs qui filent, lueurs qui vacillent, et parfois explosions de fusées juste devant le hublot d'observation. Dans ces eaux libres, il n'y avait pas de danger de collision ; de toute façon, le sonar fonctionnait et son balayage panoramique était un bien meilleur dispositif d'alerte que l'œil.

A quatre cents brasses, je pris conscience qu'il y avait quelque chose qui n'allait pas. Le fond apparaissait sur le sondeur vertical... mais il approchait beaucoup trop lentement. Ma vitesse de descente était très insuffisante. Je pouvais fort aisément l'augmenter en remplissant d'eau un autre ballast. Mais j'hésitais à le faire : dans mon métier, tout ce qui sort de l'ordinaire exige une explication : cela fait trois fois déjà que je dois la vie à ma décision d'en trouver une avant d'agir.

Ce fut le thermomètre qui me donna la réponse : la température extérieure faisait cinq degrés de plus qu'elle n'aurait dû, et je dois avouer qu'il me fallut plusieurs secondes pour comprendre pourquoi.

A quelques centaines de pieds seulement au-dessous de moi, la grille réparée fonctionnait maintenant à pleine puissance, et déversait des mégawatts de chaleur dans l'eau des Fonds de Trinco en essayant de combler la différence de température entre ceux-ci et le Bassin Solaire là-haut à terre. Vaine tentative, certes, mais qui produisait de l'électricité ; et c'est son sous-produit accessoire, un geyser d'eau chaude, qui me poussait vers le haut.

Lorsque enfin j'atteignis la grille, il s'avéra fort difficile de maintenir le « homard » en position contre ce courant ascendant, et je me trouvai désagréablement baigné de sueur par la chaleur qui pénétrait dans la cabine. Avoir trop chaud au fond de la mer était une expérience inédite, de même que l'aspect de mirage que donnait à la vision l'eau qui montait, en faisant danser et trembler la lumière des projecteurs sur la paroi rocheuse que j'explorais.

Représentez-vous la scène : tous phares allumés dans cet abîme obscur de cinq cents brasses, je descendais lentement au flanc d'un canyon, pente qui en cet endroit était aussi raide que le toit d'une maison. L'élément manquant — s'il n'avait pas été emporté — n'avait pas pu tomber très loin avant de s'arrêter. Je le trouverais en dix minutes, ou pas du tout.

Après une heure de recherches, j'avais déniché plusieurs ampoules électriques cassées — c'est étonnant combien on en jette des bateaux : les fonds marins du monde entier en sont couverts —, une bouteille de bière vide — même remarque — et un godillot tout neuf. Ce fut ma dernière trouvaille, car je m'aperçus alors que je n'étais plus seul.

Je ne coupe jamais le sonar ; et, même lorsque je ne suis pas en mouvement, je jette un coup d'œil à l'écran à peu près toutes les minutes pour me rendre compte de la situation générale. La situation, en l'occurrence, c'était qu'une vaste masse — au moins aussi grosse que le « homard » — arrivait du nord. Lorsque je la repérai, la distance était d'environ cent cinquante mètres et diminuait lentement. J'éteignis mes phares, coupai les réacteurs qui fonctionnaient à faible puissance pour me maintenir en place dans la turbulence, et me laissai porter par le courant.

Bien que je fusse tenté d'appeler Chapiro pour lui faire savoir que j'avais de la visite, je décidai d'attendre d'en savoir plus. Il n'y avait que trois nations qui eussent des bathyscaphes capables d'opérer à ce niveau, et j'étais en excellents termes avec toutes les trois. Il n'était guère opportun d'aller trop vite en besogne et de m'engager dans des complications politiques inutiles.

Sans le sonar, je me sentais aveugle ; mais je ne voulais pas signaler ma présence : il me fallut bon gré mal gré le débrancher et ne plus compter que sur mes yeux. Quiconque travaillerait à cette profondeur devrait utiliser des phares, et je le verrais avant qu'il ne me voie. Je restai donc aux aguets dans la chaleur et le silence de la petite cabine, me forçant les yeux dans l'obscurité, tendu et vigilant, mais sans inquiétude particulière.

Il y eut d'abord une vague lueur, à une distance indéterminée. Elle se fit plus grosse et plus vive, mais sans prendre une forme qui correspondît à mes schémas mentaux. La lueur diffuse se concentra en une myriade de points : il semblait qu'une constellation voguât vers moi. Tel pourrait apparaître le lever des nuages d'étoiles de la galaxie, vu d'un monde proche du cœur de la Voie Lactée.

Il n'est pas vrai que les hommes ont peur de l'inconnu ; ils ne peuvent craindre que ce qu'ils connaissent, ce dont ils ont déjà l'expérience. Je ne pouvais imaginer ce qui s'approchait de moi, mais nulle créature de la mer ne pouvait m'atteindre à travers quinze centimètres de bon blindage suisse.

La chose était presque sur moi, brillant de la lumière de sa propre création, quand elle se divisa en deux nuages séparés. Lentement se fit la mise au point — non au niveau de l'œil, mais de l'entendement —, et je sus que la beauté et la terreur montaient vers moi du fond de l'abysse.

La terreur vint la première, lorsque je m'aperçus que les êtres qui approchaient étaient des calmars : tout ce qu'avait conté Joe résonna dans mon esprit. Puis — grosse désillusion — je me rendis compte qu'ils ne faisaient qu'une demi-douzaine de mètres de long : dépassant à peine mon « homard » par la taille, et n'atteignant qu'une fraction de son poids, ils ne pouvaient me faire de mal. Et, cela mis à part, leur indicible beauté ne laissait nulle place à la menace.

Ceci a l'air ridicule, mais c'est vrai. Au cours de mes voyages, j'ai vu la plupart des animaux du monde : aucun n'égale les lumineuses apparitions qui flottaient devant moi maintenant. Les lumières colorées qui palpitaient et dansaient sur leur corps leur donnaient l'air d'être vêtues de joyaux, jamais identiques deux secondes de suite. Par places, elles brillaient d'un bleu vif, semblable à l'éclat intermittent d'arcs à mercure, qui laissait place presque instantanément à un ardent rouge de néon. Les tentacules évoquaient des colliers lumineux flottant dans les eaux, ou bien les lampes qui bordent une grande autoroute quand on la regarde la nuit du haut des airs. Sur tout ce fond brillant, les énormes yeux, entourés chacun d'un diadème de perles étincelantes, avaient un troublant air humain et intelligent.

Je regrette de ne pouvoir faire mieux : seule la caméra pourrait donner une idée équitable de ces kaléidoscopes vivants. Je ne sais combien de temps je suis resté à les contempler, fasciné par leur lumineuse beauté au point d'oublier ma mission. Il était d'ores et déjà évident que ces délicates flagelles n'avaient pas pu briser la grille. Cependant, la présence de ces êtres en cet endroit était pour le moins curieuse ; Karpoukhine l'eût qualifiée de suspecte.

J'étais sur le point d'entrer en communication avec la surface lorsque je m'avisai de quelque chose d'incroyable, que j'avais sous les yeux depuis le début sans en prendre jusqu'alors conscience : *les calmars se parlaient.*

Les va-et-vient de ces ensembles évanescents de lumières n'étaient pas fortuits : ils étaient aussi chargés de sens, j'en eus soudain la certitude, que les enseignes lumineuses de Broadway ou de Piccadilly. Toutes les trois ou quatre secondes, une image présentait presque une signification, mais disparaissait avant que je pusse l'interpréter. Je savais, bien sûr, que même la pieuvre commune traduit ses émotions par des changements de couleur rapides comme l'éclair — mais il y avait ici quelque chose d'un ordre bien supérieur. Il s'agissait véritablement de communication : deux signaux lumineux vivants échangeaient des messages.

Une image m'enleva mes derniers doutes : il n'y avait pas à s'y tromper, elle représentait le « homard » ! Je ne suis pas un savant, mais à cet instant j'ai partagé les sentiments d'un Newton ou d'un Einstein à un moment de révélation. *Cela* allait me rendre célèbre...

Puis l'image changea, d'une façon extrêmement curieuse. Le « homard » était encore là, mais plutôt plus petit ; et, près de lui, beaucoup plus petites encore, deux choses bizarres : chacune consistait en une paire de points noirs entourés d'un ensemble de dix lignes qui rayonnaient.

Nous autres Suisses, je l'ai dit peu avant, nous sommes bons linguistes. Mais il ne fallait pas être grand clerc pour comprendre qu'il s'agissait d'un portrait stylisé du calmar par lui-même, et que j'avais sous les yeux un croquis sommaire de la situation. Pourquoi, cependant, les calmars étaient-ils d'une taille aussi absurdement réduite ?

Je n'eus pas le temps d'élucider cela que déjà se produisait un autre changement. Un troisième symbole de calmar apparaissait sur l'écran vivant — si énorme que les autres paraissaient nains à côté. Ce message brilla quelques secondes dans la nuit éternelle. Puis la créature qui le portait fila à une vitesse incroyable, me laissant seul avec son compagnon.

Maintenant le sens n'était que trop clair : « Mon Dieu ! » pensai-je. « Ils ne se sentent pas de taille à s'occuper de moi, et ils appellent à la rescousse le Grand Frère ! »

Ce dont le Grand Frère était capable, j'en avais déjà plus de preuves que Joe Watkins, avec toutes ses recherches et ses coupures de presse.

C'est à ce moment-là, vous n'en serez pas surpris, que je décidai de ne pas m'attarder. Mais avant de partir, j'ai eu envie de m'exprimer un peu à mon tour.

Après une si longue station dans l'obscurité, j'avais oublié la puissance de mes phares. Ils me firent mal aux yeux ; pour le malheureux calmar, ce dut être un supplice. Cloué sur place par cet éclat insoutenable, qui éteignait ses propres illuminations, il perdit toute sa beauté ; ce n'était plus qu'un blême sac de gelée, avec les deux boutons noirs des yeux. Il resta un instant comme paralysé par le choc, puis fila rejoindre son compagnon, pendant que je remontais en flèche vers un monde qui ne serait plus jamais le même.

« J'ai découvert votre saboteur », dis-je à Karpoukhine lorsque le panneau du « homard » fut ouvert. « Si vous voulez tout savoir à son sujet, demandez donc à Joe Watkins. »

Dimitri fit une telle tête que, pour jouir de sa perplexité, j'attendis quelques instants avant de lui faire mon rapport, quelque peu expurgé. Je laissai entendre, sans vraiment le dire, que les calmars que j'avais rencontrés étaient assez puissants pour avoir causé tous les dégâts ; et je ne soufflai mot de la conversation que j'avais surprise : cela eût semé l'incrédulité. D'ailleurs, je voulais prendre le temps de réfléchir, et de démêler ce qui restait confus... si je le pouvais !

Joe m'a été d'un grand secours, bien qu'il n'en sache toujours pas plus que les Russes. Il m'a dit comme le système nerveux des calmars est merveilleusement développé, et m'a expliqué comment certains d'entre eux peuvent changer d'aspect en un éclair grâce à l'impression en trois couleurs instantanée que permet l'extraordinaire réseau de « chromophores » dont leur corps est couvert. Le but probable de cette évolution était le camouflage ; mais il semble naturel, voire inévitable, qu'elle ait abouti à un système de communication.

Mais il reste une question qui tracasse Joe : « Que faisaient-ils autour de la grille ? » ne cesse-t-il de me demander d'un air tourmenté. « Ce sont des invertébrés à sang froid. On pourrait donc s'attendre à ce qu'ils aient une aversion pour la chaleur, tout autant que pour la lumière. »

Cela le laisse perplexe ; mais moi non. Je crois même que c'est la clé de tout le mystère.

La présence de ces calmars dans les Fonds de Trinco, j'en ai maintenant la certitude, s'explique de la même façon que celle des hommes au Pôle Sud... ou sur la Lune. C'est la curiosité scientifique pure qui, de leur glacial séjour, les a attirés là, pour enquêter sur ce geyser d'eau chaude qui jaillissait des flancs du canyon. Les voici en présence d'un phénomène étrange, inexplicable, qui constitue peut-être une menace pour leur mode de vie. Alors ils ont appelé leur cousin géant (leur serviteur ? leur esclave ?) pour leur en rapporter un échantillon à étudier. Je ne puis croire qu'ils aient un espoir de le comprendre : après tout, aucun savant au monde n'aurait pu y parvenir il y a seulement un siècle. Mais ils essaient, et c'est ce qui importe.

Demain, nous passons à la contre-attaque. Je redescends dans les Fonds de Trinco pour mettre en place les grands phares dont Chapiro espère qu'ils tiendront ces êtres à distance. Mais combien de temps ce stratagème sera-t-il efficace, si l'intelligence est en train de poindre dans les profondeurs ?

Je dicte ces mots assis sous les vieux remparts de Fort Frédérick ; et sous mes yeux la lune se lève sur l'Océan Indien. Si tout se passe bien, cela servira d'introduction au livre que Joe me presse d'écrire. Sinon... ohé ! Joe, c'est à toi que je parle maintenant. Je te demande, s'il te plaît, de préparer une édition de ce texte, sous la forme que tu jugeras la meilleure ; et toutes mes excuses à Lev et toi pour ne pas vous avoir communiqué tous les faits plus tôt. Tu comprendras maintenant pourquoi.

Quoi qu'il arrive, n'oubliez pas, je vous en prie, que ces êtres sont d'une merveilleuse beauté. Essayez d'arriver à un accommodement avec eux, si vous le pouvez.

À : Ministère de l'Energie, Moscou.

De : Lev Chapiro, Ingénieur-Chef, Centrale Thermo-électrique de Trincomalee.

Ci-joint la transcription intégrale de la bande magnétique trouvée parmi les effets de Herr Klaus Muller après sa dernière plongée. Nous devons beaucoup à Mr Joe Watkins, du *Time,* qui nous a apporté une aide précieuse sur plusieurs points.

Vous vous rappelez sans doute que le dernier message

intelligible de Herr Muller était adressé à Mr Watkins, et était le suivant : « Joe ! Tu avais raison au sujet de Melville ! Cette chose est absolument gigan... »

The Shining Ones.
Première publication : *Playboy,* août 1964.

LE VENT QUI VIENT DU SOLEIL

Voici donc la nouvelle, écrite en mai 1963, qui donne son titre au recueil, non sans raison d'ailleurs puisque la passion de la mer et celle de l'espace sont cette fois unies, grâce à ces « voiliers du soleil » que Clarke décrit avec tout ensemble une précision très scientifique et une poésie qui n'est pas sans rappeler ces lignes de Hilaire Belloc :

« Ce n'est pas pur hasard si les grands voiliers ont à toutes les époques tant attiré le regard de l'homme et paru si magnifiques. L'homme tout entier passait dans leur création : son habileté, sa maîtrise, son cœur aventureux. Car le vent est, depuis que les hommes sont hommes, leur allié dans leur soif divine du voyage, lequel, sous ses divers aspects, pèlerinage, conquête, découverte, et en général expansion, est un moyen essentiel par lequel l'homme progresse vers la plénitude de l'être. »

Si les voiliers de jadis éveillaient une telle émotion dans l'âme des hommes, émotion quelque peu perdue avec la mécanisation — et la banalisation — des voyages sur mer, Clarke n'a pas tort de penser que cette émotion renaîtra, plus vive et plus profonde encore, si un jour de nouveaux voiliers sillonnent l'espace. Et la perspective d'une telle navigation devrait sourire à tous les partisans de « technologies douces », qui cesseraient de faire violence à la nature, mieux comprise et donc mieux respectée.

L'énorme disque de voile fatiguait son gréement, gonflée déjà par le vent qui souffle entre les mondes. Dans trois minutes, la course commencerait, et pourtant John Merton se sentait maintenant plus détendu, plus apaisé qu'il ne l'avait jamais été depuis un an. Quoi qu'il pût arriver lorsque le Commodore donnerait le signal du départ, que la *Diane* l'emporte vers la victoire ou la défaite, il avait réalisé son ambition : après toute une vie passée à créer des vaisseaux pour les autres, il allait piloter le sien.

« H moins deux minutes », fit la radio de la cabine. « Veuillez confirmer que vous êtes prêts. »

L'un après l'autre, les autres capitaines répondirent. Merton reconnaissait toutes les voix — certaines tendues, certaines calmes — car c'étaient les voix de ses amis et rivaux. Sur les quatre mondes habités, il y avait à peine vingt hommes capables de manœuvrer un voilier du soleil ; et ils étaient tous là, sur la ligne de départ ou à bord des navires d'escorte, en orbite à quarante mille kilomètres au-dessus de l'équateur.

« Numéro Un — *Fil de la Vierge* — prêt à appareiller. »

« Numéro Deux — *Santa Maria* — tout va bien à bord. »

« Numéro Trois — *Rayon de Soleil* — O.K. »

« Numéro Quatre — *Woomera* — prêt pour la mise à feu. »

Merton sourit à cet écho des débuts primitifs de l'astronautique. Mais cela faisait maintenant partie des traditions de l'espace ; et il est des moments où un homme ressent le besoin d'évoquer les ombres de ceux qui sont partis avant lui vers les étoiles.

« Numéro Cinq — *Lebedev* — nous sommes prêts. »

« Numéro Six — *Arachné* — O.K. »

Maintenant, c'était son tour — le dernier de la rangée. Cela faisait tout drôle de penser que les mots qu'il prononçait dans sa petite cabine étaient instantanément entendus par au moins cinq milliards de personnes.

« Numéro Sept — la *Diane* — prêt au départ. »

« Un à Cinq : bien reçu », répondit cette voix impersonnelle qui provenait de la vedette du juge. « H moins une minute maintenant. »

Merton l'entendit à peine. Pour la dernière fois, il vérifiait la tension dans le gréement. Les aiguilles de tous les dynanomètres étaient fixes et l'immense voile tendue — miroir splendide qui scintillait et chatoyait au Soleil.

Merton, qui flottait en apesanteur au périscope, avait l'impression qu'elle emplissait le ciel. Et il y avait de quoi : il y avait là cinq millions de mètres carrés de voilure, reliés à sa capsule par cent cinquante mille mètres de gréement. Toute la toile portée par tous les fins voiliers qui jadis, pour le commerce du thé, cinglaient à travers les mers de Chine, cousue ensemble en un gigantesque pan, n'aurait pu égaler la voile unique que la *Diane* avait déployée sous le Soleil. Pourtant elle n'était guère plus substantielle qu'une bulle de savon : ces cinq cents hectares de plastique aluminé ne faisaient que quelques millionièmes de centimètres d'épaisseur.

« H moins dix secondes. Toutes caméras : en marche ! »

L'esprit avait du mal à concevoir quelque chose d'aussi gigantesque et pourtant si frêle. Et Merton trouvait plus difficile encore de se faire à l'idée que ce fragile miroir pouvait l'arracher à la Terre par la seule puissance de la lumière solaire qu'il capterait.

« ... cinq, quatre, trois, deux, un, partez ! »

Sept lames de couteaux tranchèrent sept amarres reliant les yachts aux vaisseaux qui avaient assuré leur montage et leur entretien. Jusqu'à cet instant, tous avaient tourné ensemble autour de la Terre en gardant strictement leur place dans la formation, mais maintenant les yachts allaient commencer à se disperser, comme des graines de pissenlit dérivant au vent. Et le gagnant serait celui qui le premier dépasserait la Lune.

A bord de la *Diane,* rien ne sembla se passer. Mais Merton ne s'y trompa pas. Bien que son corps ne perçût aucune poussée, le tableau de bord lui indiquait qu'il subissait maintenant une accélération de presque un millième de gravité. Pour une fusée, un tel chiffre eût semblé ridicule ; mais c'était la première fois qu'un voilier du Soleil l'atteignait jamais. La *Diane* était bien conçue, et la vaste voile se montrait à la hauteur de ses calculs. A cette allure, faire deux fois le tour de la Terre lui donnerait assez de vitesse pour échapper à l'attraction ; il pourrait alors mettre le cap sur la Lune, avec toute la force du Soleil derrière lui.

Toute la force du Soleil... Il eut un sourire désabusé en se rappelant tous ses efforts pour expliquer la navigation solaire au public des conférences, là-bas sur la Terre. Cela avait été pour lui le seul moyen de se procurer de l'argent, au début. Il avait beau être concepteur-projeteur principal à la Cosmodyne Corporation, et avoir à son actif toute une série de navires spatiaux réussis, sa firme n'avait guère montré d'enthousiasme pour sa marotte.

« Tendez les mains vers le Soleil », disait-il. « Que sentez-vous ? De la chaleur, bien sûr. Mais il y a aussi de la pression, bien que vous ne l'ayez jamais remarquée tant elle est ténue. Sur toute la surface de vos mains, elle représente seulement une vingtaine de microgrammes.

« Mais dans l'espace, même une pression aussi minime peut être importante, car elle agit constamment, heure après heure, jour après jour. A l'inverse du combustible des fusées, elle est gratuite et en quantité illimitée. Si nous voulons l'utiliser, nous le pouvons. Nous pouvons faire des voiles pour capter les radiations du Soleil. »

Parvenu à ce point, il exhibait soudain et jetait vers le public quelques mètres carrés de voilure vaporeuse qui, comme une fumée, décrivait en l'air des volutes avant de se laisser lentement porter vers le plafond sur les courants chauds.

« Vous voyez comme c'est léger », poursuivait-il. « Une tonne couvre 250 hectares, qui peuvent capter des radiations fournissant une pression de deux kilos et demi. Il en résulte un mouvement, et l'on peut se faire remorquer, en attachant au tissu un gréement.

« Certes, l'accélération sera minime — environ un millième de G. Ça n'a l'air de rien, mais voyons ce que ça représente.

« La première seconde, nous avancerons d'un demi-centimètre : un escargot normalement constitué pourrait faire mieux. Mais au bout d'une minute nous aurons couvert une vingtaine de mètres et dépassé un kilomètre et demi à l'heure : pas mal, pour quelque chose qui n'est propulsé que par la lumière du soleil ! Au bout d'une heure, nous sommes à une bonne soixantaine de kilomètres de notre point de départ et nous faisons du cent trente à l'heure. N'oubliez pas que dans l'espace il n'y a pas de frottement ; donc, une fois qu'on a mis un objet en mouvement, il n'y a pas de raison qu'il s'arrête jamais. Vous allez être surpris quand je vous dirai quelle vitesse notre bateau à voile, avec son accélération d'un millième de G, atteindra au bout d'une journée de voyage : dans les trois mille kilomètres-heure ! S'il démarre en orbite — ce qui, bien sûr, est nécessaire —, il peut atteindre la vitesse de libération en deux jours environ. Et tout ça sans brûler une goutte de combustible ! »

Eh bien, il les avait convaincus, et en fin de compte il avait même convaincu la Cosmodyne. Au cours des vingt dernières années, un nouveau sport était né. On l'avait appelé le sport des milliardaires ; et c'était la vérité. Mais il commençait à couvrir ses frais par la publicité et la retransmission télévisée. Le prestige de quatre continents et de deux mondes était en jeu dans cette course, et elle jouissait du plus vaste public jamais connu dans l'histoire.

La *Diane* avait pris un bon départ ; il était temps de jeter un coup d'œil à la concurrence. Merton alla s'installer au périscope, en mesurant ses gestes : il y avait des amortisseurs entre sa capsule et le fragile gréement, mais il était résolu à éviter tout risque.

Les autres étaient là, comme d'étranges fleurs d'argent dans les sombres prairies de l'espace. Le vaisseau le plus proche, celui d'Amérique du Sud, la *Santa Maria,* n'était qu'à quatre-vingts kilomètres ; il présentait une grande ressemblance avec un cerf-volant d'enfant — un cerf-volant de près de deux kilomètres de côté ! Plus loin, le *Lebedev* de l'Université d'Astrograd avait l'aspect d'une croix de Malte ; les voiles qui en formaient les quatre branches pouvaient apparemment être inclinées pour gouverner. Par contraste, le *Woomera* de la Fédération d'Australasie était un simple parachute, de six kilomètres de circonférence. L'*Arachné* de la Générale d'Astronautique, comme le suggérait son nom, avait l'air d'une toile d'araignée, et avait été bâtie selon les mêmes principes, par des navettes automatiques parties en spirale d'un point central. Le *Fil de la Vierge* de l'Eurospatiale était de conception semblable, à une échelle légèrement plus petite. Et le *Rayon de Soleil* de la République de Mars était un anneau aplati, avec au centre un trou de huit cents mètres de large ; c'est la force centrifuge produite par sa lente rotation qui lui conférait sa rigidité — vieille idée que personne n'avait réussi à appliquer avec succès : Merton était sûr que les coloniaux auraient des ennuis lorsqu'ils se mettraient à tourner.

Cela n'aurait pas lieu avant six heures encore, le temps que les yachts aient parcouru avec lenteur et majesté le premier quart de leur orbite de vingt-quatre heures. En ce début de la course, ils mettaient tous le cap à l'opposé du Soleil, courant pour ainsi dire vent arrière. Il fallait profiter au maximum de cette bordée avant de virer vers l'autre côté de la Terre, puis de remettre le cap vers le Soleil.

C'était le moment, se dit Merton, de faire une première vérification, pendant qu'il n'avait pas de soucis de navigation. Au moyen du périscope, il fit subir à la voile un examen attentif, insistant sur les points d'attache avec le gréement. Les haubans — de minces bandes de pellicule plastique non argentée — auraient été invisibles s'ils n'avaient été enduits de peinture fluorescente. C'étaient maintenant des lignes tendues de lumière colorée, qui filaient en décroissant sur des centaines de mètres vers la gigantesque voile. Chacun d'eux avait son propre treuil électrique, guère plus gros que le moulinet d'un pêcheur au lancer. Ces petits treuils tournaient sans arrêt, pour donner du mou ou réduire l'allonge, selon les instructions du pilote automatique qui corrigeait constamment l'orientation de la voile par rapport au Soleil.

Les jeux de lumière sur ce grand miroir flexible constituaient un spectacle merveilleux. Les lentes et majestueuses ondulations de la voile reflétaient le Soleil en mille images qui la parcouraient jusqu'aux bords où elles disparaissaient. De molles vibrations semblables n'avaient rien d'inattendu dans cette texture vaste et ténue ; elles étaient d'ordinaire tout à fait anodines, mais Merton les observa attentivement : elles pouvaient parfois prendre des proportions catastrophiques — on appelait ça « la tremblote » — et mettre en pièces une voile.

Lorsqu'il se fut bien assuré que tout était impeccable, il balaya le ciel de son périscope, afin de vérifier à nouveau la position de ses rivaux. Ses espoirs ne furent pas déçus : le tri avait commencé à se faire, l'écart à se creuser avec les voiliers inférieurs. Mais le véritable critère, ce serait le passage dans l'ombre de la Terre : alors, la maniabilité compterait autant que la vitesse.

Bien que cela pût paraître curieux, alors que la course venait de commencer, il se dit que ce serait peut-être une bonne idée de dormir un peu. Les autres vaisseaux étaient montés par deux hommes, qui pouvaient le faire à tour de rôle, mais Merton n'avait personne pour le relayer. Il ne pouvait compter que sur ses propres ressources physiques, comme cet autre navigateur solitaire, Joshua Slocum, qui avait fait le tour du monde seul à bord de son petit *Embruns*. L'Américain n'aurait jamais pu imaginer que, deux siècles plus tard, un homme naviguerait en solitaire de la Terre à la Lune — inspiré, en partie au moins, par son exemple.

Merton boucla les sangles élastiques de son siège autour de sa taille et de ses jambes, puis plaça sur son front les électrodes de l'hypnogène. Il régla le minuteur pour une durée de trois heures, et se détendit. Très doucement, le rythme apaisant des ondes électroniques fit palpiter les lobes frontaux de son cerveau. Des spirales de lumière colorée naquirent sous ses paupières fermées et s'élargirent jusqu'à l'infini. Puis plus rien...

La sonnerie cuivrée du signal d'alarme le tira de son sommeil sans rêves. Instantanément réveillé, il parcourut des yeux le tableau de bord. Deux heures seulement s'étaient écoulées ; mais au-dessus de l'accéléromètre, une lumière rouge clignotait : la poussée diminuait, la *Diane* perdait de la puissance.

La première idée qui vint à Merton fut que quelque chose était arrivé à la voile. Peut-être les dispositifs anti-torsion avaient-ils flanché et le gréement s'était-il emmêlé. Il s'empressa de vérifier la tension des haubans sur les cadrans correspondants. Curieux : d'un côté de la voile, les relevés étaient normaux, alors que de l'autre la traction baissait lentement, sous ses yeux.

Pris d'une intuition soudaine, Merton saisit le périscope, passa sur grand angle et se mit à balayer le bord de la voile. Oui, c'était de là que venaient les ennuis, et ils ne pouvaient avoir qu'une cause.

Une ombre immense et nettement découpée avait commencé à s'étendre sur l'argent miroitant de la voile. L'obscurité tombait sur la *Diane,* comme si un nuage s'interposait entre elle et le Soleil. Privée des rayons qui la propulsaient, elle allait perdre tout élan et partir à la dérive dans l'espace.

Mais, bien entendu, il n'y avait pas de nuages ici, à plus de trente mille kilomètres au-dessus de la Terre. Si ombre il y avait, elle devait être l'œuvre de l'homme.

Avec un rictus, Merton fit pivoter le périscope en direction du Soleil, avec l'appoint de filtres qui lui permettraient de le regarder en face sans être aveuglé par son éclat.

« Manœuvre 4A », fit-il entre ses dents. « On va bien voir qui est le plus malin à ce jeu-là. »

On aurait dit qu'une planète géante passait devant le Soleil : un grand disque noir en avait entamé le bord. A une trentaine de kilomètres en arrière, *Fil de la Vierge* s'efforçait d'organiser une éclipse artificielle tout exprès pour la *Diane.*

La manœuvre était parfaitement licite. Aux temps lointains des courses transatlantiques, les navigateurs essayaient souvent de se masquer le vent. Avec un peu de chance, on pouvait laisser son rival encalminé, toutes ses voiles affaissées, et prendre une bonne avance avant qu'il pût réparer les dégâts.

Merton n'avait nulle intention de se laisser avoir aussi facilement. Il avait largement le temps de se tirer d'affaire : les choses allaient très lentement à bord d'un voilier solaire. Il faudrait au moins vingt minutes à *Fil de la Vierge* pour occulter complètement le Soleil et plonger la *Diane* dans l'ombre.

Le petit ordinateur de bord — il avait la taille d'une boîte d'allumettes, mais les capacités de mille mathématiciens en chair et en os — pesa le problème une bonne seconde avant de donner son verdict : il fallait ouvrir les panneaux de commande trois et quatre jusqu'à ce que la voile ait pris trente degrés d'inclinaison de plus ; alors la poussée des radiations écarterait la *Diane* du dangereux cône d'ombre de *Fil de la Vierge* et l'exposerait à nouveau en plein aux feux du Soleil. Il était dommage de contrecarrer le pilote automatique, qui avait été soigneusement programmé pour fournir le trajet le plus rapide possible ; mais, après tout, c'était pour cela que Merton était là ! C'est cela qui faisait des régates solaires un sport, et non une simple bataille d'ordinateurs.

Déclenchées, les drisses un et six se mirent à onduler lentement comme des serpents engourdis, en perdant momentanément leur tension. A trois mille mètres de là, les panneaux triangulaires commencèrent paresseusement à s'ouvrir, laissant fuir des rayons solaires à travers la voile. Mais, pour un temps, rien ne sembla se passer. Il était difficile de s'habituer à cet univers au ralenti, où il fallait dix minutes pour que les effets de toute action soient visibles à l'œil. Puis Merton vit que la voile s'inclinait bel et bien vers le Soleil, et que l'ombre de *Fil de la Vierge* glissait dessus pour aller se perdre, inoffensive, dans les ténèbres plus profondes de l'espace.

Bien avant que l'ombre eût disparu et que le disque du Soleil fût à nouveau dégagé, il inversa l'inclinaison et fit reprendre son cap à la *Diane :* sur sa lancée nouvelle, elle allait échapper au danger. Inutile d'en faire de trop : une esquive excessive fausserait tous les calculs. C'était une autre règle difficile à apprendre : dans l'espace, à l'instant même où l'on déclenchait un processus, il était déjà temps de songer à l'arrêter.

Il rebrancha le signal d'alarme, en prévision de la prochaine alerte, due à la nature ou à l'homme. Peut-être *Fil de la Vierge,* ou un autre concurrent, tenterait-il à nouveau le même tour. En attendant, il était temps de manger, même s'il ne se sentait pas grand appétit. Dans l'espace, on n'utilisait guère d'énergie physique, et on oubliait facilement de se nourrir. C'était facile, et c'était dangereux : si une anicroche se présentait, on risquait de ne pas avoir les réserves nécessaires pour y parer.

Il ouvrit le premier paquet-repas, et l'examina sans enthousiasme. Rien que le nom porté sur l'étiquette, « Délispatial », avait de quoi lui couper l'appétit. Et il avait des doutes sérieux sur la promesse imprimée au-dessous : « Garanti sans émiettement ». On disait que les miettes étaient pour les véhicules spatiaux un plus grand danger que les météorites : elles pouvaient se glisser dans les endroits les plus inattendus, causer des courts-circuits, boucher des gicleurs essentiels, pénétrer même dans des instruments censés être hermétiquement clos.

Pourtant, le saucisson de foie passa sans se faire prier, de même que le chocolat et la marmelade d'ananas. Le café dans son ampoule de plastique chauffait sur le réchaud électrique lorsque le monde extérieur fit irruption dans la solitude de Merton : l'opérateur-radio de la vedette du Commodore lui transmettait un message.

« Docteur Merton ? Si vous avez un moment, Jeremy Blair aimerait échanger quelques mots avec vous. » Blair était un des commentateurs les plus sérieux, et Merton avait souvent pris part à ses émissions. Il pouvait certes refuser de se laisser interviewer, mais Blair lui était sympathique, et il ne pouvait guère prétendre qu'il avait trop à faire. « Je prends la communication », répondit-il.

« Bonjour, Docteur Merton », fit immédiatement le journaliste. « Ravi que vous puissiez disposer de quelques instants. Et félicitations : vous semblez mener la course. »

« Trop tôt pour affirmer une chose pareille », répondit prudemment Merton.

« Dites-moi, Docteur, pourquoi avez-vous décidé de courir en solitaire ? Rien que parce que ça n'avait jamais été fait avant ? »

« Eh bien, n'est-ce pas une bonne raison ? Mais ce ne fut pas la seule, bien sûr. » Il fit une pause, choisissant ses mots avec soin. « Vous savez que les performances d'un voilier solaire dépendent de façon cruciale de sa masse. Un coéquipier avec ses provisions, cela veut dire deux cents kilos de plus. Cela peut facilement faire la différence entre la victoire et la défaite. »

« Et vous êtes tout à fait sûr de pouvoir manœuvrer la *Diane* tout seul ? »

« Je crois pouvoir dire que oui, grâce aux gouvernes automatiques que j'ai conçues. Ma tâche principale est d'exercer une surveillance et de prendre les décisions. »

« Mais cinq millions de mètres carrés de voile, cela semble beaucoup pour un seul homme ! »

Merton se mit à rire : « Et pourquoi donc ? Ces cinq millions de mètres carrés produisent une force maximale de cinq kilos seulement. Je peux exercer une poussée supérieure avec le petit doigt. »

« Je vous remercie, Docteur. Et bonne chance ! je vous rappellerai. »

Tandis que le commentateur prenait congé, Merton eut un peu honte de lui-même. Car il n'avait dit qu'une partie de la vérité ; et, il en était persuadé, Blair était assez perspicace pour le savoir.

Il n'y avait qu'une seule raison à sa présence là, seul dans l'espace. Depuis près de quarante ans, il travaillait avec des équipes de centaines, voire de milliers d'hommes, contribuant à l'élaboration des véhicules les plus complexes que le monde ait jamais vus. Ces vingt dernières années, il dirigeait l'une de ces équipes, et assistait à l'essor de ses créations vers les étoiles (pas toujours : il y avait eu des échecs, qu'il ne pouvait oublier, même si la faute ne lui incombait pas). Il était célèbre, il avait derrière lui une brillante carrière. Mais il n'avait jamais rien fait par lui-même ; il n'avait jamais été qu'un élément dans une armée.

C'était la dernière chance pour lui de tenter l'exploit individuel, et il ne voulait la partager avec personne. Il n'y aurait plus de navigation solaire pendant au moins cinq ans, car après la période d'accalmie allait recommencer le cycle de perturbations, où le Soleil lancerait des tempêtes de radiations dans tout le système. Quand ces frêles vaisseaux dénués de protection pourraient à nouveau s'aventurer dans les cieux, Merton serait trop vieux... s'il ne l'était pas déjà.

Il jeta les emballages vides dans le vide-ordures et se tourna à nouveau vers le périscope. Il ne vit d'abord que cinq des autres yachts : aucune trace du *Woomera*. Il lui fallut plusieurs minutes pour le repérer, vague fantôme qui éclipsait les étoiles : le *Lebedev* l'avait fort joliment pris dans son ombre. Il imaginait les efforts frénétiques des Australasiens pour se tirer de là, et se demandait comment ils avaient pu tomber dans le piège. Cela laissait entendre que le *Lebedev* avait une exceptionnelle maniabilité. Il y aurait intérêt à l'avoir à l'œil ; mais pour l'instant il était trop loin pour constituer une menace pour la *Diane*.

Maintenant la Terre avait presque disparu : elle s'était réduite à un mince arc de lumière étincelante qui progressait à bonne allure vers le Soleil. A l'intérieur de cet arc de feu se dessinait vaguement la face nocturne de la planète, où la phosphorescence des grandes villes se montrait çà et là dans l'intervalle des nuages. Le disque sombre avait déjà masqué une vaste section de la Voie Lactée ; dans quelques minutes, il mordrait sur le Soleil.

La lumière déclinait ; une pourpre lueur crépusculaire — rougeoiement de nombreux couchers de Soleil, des milliers de kilomètres plus bas — tombait sur l'aile de la *Diane* qui pénétrait silencieusement dans l'ombre de la Terre. Le Soleil plongea au-dessous de cet horizon invisible ; en quelques minutes, la nuit était tombée.

Merton se retourna vers l'orbite qu'il avait décrite — un quart du tour de la Terre maintenant. L'une après l'autre il vit s'éteindre les scintillantes étoiles des autres voiliers qui le rejoignaient dans cette brève nuit : il faudrait une heure pour que le Soleil émerge de cet énorme écran noir. Tout ce temps-là, ils seraient réduits à l'impuissance, courant sur leur aire sans énergie pour manœuvrer.

Il alluma le projecteur extérieur, et explora de son faisceau la voile maintenant assombrie. Déjà les centaines d'hectares de mince tissu se plissaient et devenaient flasques. Les haubans prenaient du mou : il fallait que les treuils les réduisent de peur qu'ils ne s'embrouillent. Mais il n'y avait là rien d'inattendu : tout se passait comme prévu.

A quatre-vingts kilomètres en arrière, l'*Arachné* et la *Santa Maria* avaient moins de chance, comme l'apprit Merton lorsque la radio, sur le circuit d'urgence, rompit soudain le silence : « Numéros 2 et 6, ici la Direction. Vous êtes sur une trajectoire de collision : vos orbites vont se croiser dans soixante-cinq minutes ! Avez-vous besoin d'aide ? »

Il y eut un long silence, le temps pour les navigateurs concernés de digérer cette mauvaise nouvelle. Merton se demanda à qui incombait la faute. Peut-être un des voiliers avait-il essayé de masquer le Soleil à l'autre et n'avait-il pas eu le temps de terminer la manœuvre avant qu'ils fussent tous les deux plongés dans la nuit. Maintenant, ils ne pouvaient rien y faire ni l'un ni l'autre : ils convergeaient lentement mais inexorablement, incapables de changer de cap ne fût-ce que d'une fraction de degré.

Mais... soixante-cinq minutes ! C'était juste suffisant pour qu'ils émergent de l'ombre de la Terre en plein Soleil à nouveau. Ils avaient une petite chance, si leurs voiles pouvaient capter assez d'énergie pour éviter le choc. On devait se livrer, à bord de l'*Arachné* et de la *Santa Maria,* à de frénétiques calculs !

L'*Arachné* donna la première sa réponse — exactement celle que Merton attendait : « Numéro 6 appelle Direction : aide inutile, merci, nous allons résoudre ça par nos propres moyens. »

Pas si sûr, songea Merton ; mais en tout cas, ce sera intéressant à regarder. Le premier drame véritable de la course approchait, juste au-dessus du méridien où il était minuit sur la Terre endormie.

Pendant l'heure suivante, Merton eut trop à faire avec sa propre voile pour se soucier de l'*Arachné* et de la *Santa Maria* : il n'était pas facile de bien surveiller cinq millions de mètres carrés de plastique, indistincts dans les ténèbres, à la seule lueur de son petit projecteur et de la Lune encore lointaine.

Désormais, sur presque la moitié de son orbite autour de la Terre, il devrait maintenir toute cette immense surface la tranche tournée vers le Soleil. Pendant les douze ou quatorze heures à venir, la voile serait inutile et encombrante ; car il irait cap au Soleil, dont les rayons ne pouvaient que le pousser en arrière sur son orbite. Il était malheureusement impossible de carguer complètement la voile jusqu'au moment de s'en servir à nouveau : personne n'avait encore trouvé un moyen pratique de le faire.

Loin en dessous, les premiers signes de l'aube s'esquissaient en bordure du globe : dix minutes, et le Soleil aurait surgi de son éclipse. Les voiliers qui couraient sur leur erre reprendraient vie au souffle de radiations frappant leurs voiles. Ce serait le moment crucial pour l'*Arachné* et la *Santa Maria* — pour tous, d'ailleurs.

Merton fit pivoter le périscope pour repérer les deux taches sombres qui glissaient sur le fond des étoiles. Elles étaient très proches l'une de l'autre, à moins de cinq kilomètres peut-être. Il y avait, conclut-il, une petite chance de réussite...

Il y eut une explosion de lumière au bord de la Terre : le Soleil jaillissait du Pacifique. La voile et les haubans furent brièvement touchés de cramoisi, puis d'or, et resplendirent enfin de la pure lumière blanche du jour. Les aiguilles des dynamomètres décollèrent du zéro, mais à peine. La *Diane* était encore presque totalement en apesanteur ; en effet, avec sa voile pointée vers le soleil, son accélération n'était maintenant que de quelques millionièmes de G.

Mais l'*Arachné* et la *Santa Maria* mettaient toutes voiles dehors, dans leur effort désespéré pour garder leurs distances. Il y avait maintenant moins de trois kilomètres entre elles, et leurs nuages de plastique étincelant se déployaient avec une angoissante lenteur, tandis qu'ils ressentaient la première poussée délicate des rayons solaires. Sur Terre, les écrans de télévision, presque sans exception, allaient refléter ce drame prolongé : même maintenant, en ces derniers instants, il était impossible de dire quelle en serait l'issue.

Les deux capitaines étaient gens têtus. Il aurait fallu que l'un ou l'autre se laissât distancer, pour donner à l'autre une chance ; mais ni l'un ni l'autre n'y consentait : trop de prestige, trop de millions, trop de réputations étaient en jeu. Aussi, en douceur, sans bruit, comme des flocons de neige tombant dans la nuit d'hiver, l'*Arachné* et la *Santa Maria* entrèrent en collision.

Le cerf-volant carré, d'un mouvement presque imperceptible, s'enfonça dans la toile d'araignée circulaire. Les longs rubans de cordage se tortillèrent et s'emmêlèrent avec une lenteur de rêve. Même à bord de la *Diane,* où il avait pourtant fort à faire avec son propre gréement, Merton ne pouvait détacher ses yeux de ce désastre silencieux au ralenti.

Pendant plus de dix minutes, les deux nuages brillants continèrent à fondre leurs volutes en une masse inextricable, puis les deux capsules se détachèrent et partirent chacune de leur côté, évitant le choc de plusieurs centaines de mètres. Avec un jet de feu, les vedettes de secours se précipitèrent pour recueillir les équipages.

Nous restons cinq en course, songea Merton. Il était navré pour les navigateurs qui s'étaient si radicalement éliminés l'un l'autre, quelques heures seulement après le départ. Mais ces hommes étaient jeunes ; ce n'était pas leur dernière chance.

Au bout de quelques minutes, les cinq s'étaient réduits à quatre : le *Rayon de Soleil* corroborait la défiance que Merton avait conçue dès le début pour sa lente rotation. Celle-ci donnait trop de stabilité au vaisseau martien, qui ne put convenablement louvoyer au plus près. L'immense anneau de sa voile, au lieu de se présenter de profil, se tournait face au Soleil, dont la poussée lui faisait rebrousser chemin presque au maximum de son accélération.

C'était peut-être la chose la plus exaspérante qui pouvait arriver à un navigateur — pire même qu'une collision, car il ne pouvait s'en prendre qu'à lui-même. Mais les coloniaux frustrés n'inspireraient guère de compassion à quiconque, vu leurs impudentes rodomontades avant la course : cette ironie du sort n'était que justice.

Le *Rayon de Soleil* décroissait lentement à l'arrière ; il ne fallait pourtant pas faire une croix dessus : il y avait encore près d'un million de kilomètres à couvrir, et il pouvait encore prendre l'avantage, voire — s'il y avait quelques accidents de plus — terminer seul la course, comme cela s'était déjà vu.

Les douze heures suivantes s'écoulèrent sans incident, tandis que dans le ciel la Terre devenait visible puis, peu à peu, pleine. Il y avait peu à faire pendant que la flottille décrivait la partie de son orbite où elle était privée de propulsion, mais Merton ne trouva pas le temps long : il s'octroya quelques heures de sommeil, prit deux repas, rédigea son livre de bord et se laissa interviewer par radio plusieurs fois encore. Quelquefois, mais pas souvent, il échangea avec les autres navigateurs bons vœux et amicales railleries. Mais la plupart du temps, il se contentait de flotter en apesanteur, détendu, loin de tous les soucis de la Terre, plus heureux qu'il ne l'avait jamais été depuis des années. Il était — autant que tout homme peut l'être dans l'espace — maître de son propre destin, à la barre du navire dont, à force de lui prodiguer son savoir-faire et son amour, il avait fait une partie de lui-même.

L'accident suivant se produisit lorsque les voiliers franchirent la ligne entre Terre et Soleil, et abordèrent la moitié de l'orbite où ils étaient propulsés. A bord de la *Diane,* Merton vit sa grande voile se raidir en s'inclinant pour capter les rayons qui la poussaient. L'accélération, qui était tombée aux microgravités, se remit à croître — mais il lui faudrait encore des heures pour atteindre sa valeur maximale.

Elle ne l'atteindrait jamais dans le cas du *Fil de la Vierge :* le retour de l'énergie, moment toujours critique, lui fut fatal.

Merton avait laissé le commentaire radio de Blair en sourdine ; son attention fut soudain éveillée par ces mots : « Hé ! *Fil de la Vierge* a la tremblote ! » Il se précipita au périscope ; mais, à première vue, la grande voile circulaire de son concurrent n'avait rien d'anormal. Il ne lui était pas facile de l'examiner, car il la voyait presque de profil, et donc comme une mince ellipse ; mais bientôt il s'aperçut qu'elle se tortillait d'avant en arrière en de lentes mais irrésistibles oscillations. A moins que l'équipage ne parvînt à les amortir, en exerçant aux bons moments, et sans y aller trop fort, des tractions sur les haubans, la voile allait se déchirer en morceaux.

Les deux hommes firent de leur mieux, et au bout de vingt minutes il semblait qu'ils eussent réussi. Mais voilà que, vers le centre de la voile, la pellicule de plastique commença à se déchirer. Elle était lentement poussée vers l'extérieur par la pression des radiations, comme une fumée qui monte en volutes d'un feu. En moins d'un quart d'heure, il ne restait plus rien que la fine dentelle des étais radiaux qui avaient soutenu la grande toile. A nouveau, il y eut un jet de feu : une vedette partait récupérer la capsule du *Fil de la Vierge* et son équipage déconfit.

« On se sent de plus en plus seul par ici, hein ? » fit une voix badine sur le circuit-radio entre navires.

« Pas toi, Dimitri ! » répliqua Merton. Tu as encore du monde autour de toi, là-bas en queue de peloton. C'est moi qui risque de me sentir un peu seul, en tête. » Ce n'était pas là vaine fanfaronnade : la *Diane* avait maintenant près de cinq cent mille kilomètres d'avance sur son plus proche rival, et l'écart devrait se creuser plus rapidement encore dans les heures à venir.

A bord du *Lebedev*, Dimitri Markov poussa un petit glousse-ment de rire bon enfant. Il ne donnait pas du tout l'impression, se dit Merton, d'un homme qui s'est résigné à la défaite.

« Rappelle-toi la fable du lièvre et de la tortue », répondit le Russe. « Il peut en arriver, des choses, pendant les prochains millions de kilomètres. »

En fait, il arriva quelque chose beaucoup plus tôt que ça, au moment où, après avoir bouclé la première orbite autour de la Terre, les concurrents franchissaient à nouveau la ligne de départ, mais des milliers de kilomètres plus haut, grâce à l'énergie supplémentaire que leur avait fournie le rayonne-ment solaire. Merton avait soigneusement relevé la position des autres voiliers et donné les chiffres à traiter à son ordina-teur. Le résultat obtenu pour le *Woomera* fut si absurde qu'il fit immédiatement une vérification.

Pas de doute : les Australasiens comblaient leur retard à une vitesse stupéfiante. Nul voilier solaire n'était capable d'une telle accélération, à moins que...

Un rapide coup d'œil par le périscope fournit la solution : le gréement du *Woomera,* réduit au strict minimum de masse, avait cédé ; ce que Merton voyait lancé à sa poursuite, ce n'était que la voile, qui avait conservé sa forme. Tel un mou-choir emporté par le vent, elle passa en voltigeant, moins de deux heures plus tard, à moins de trente kilomètres de lui ; il y avait alors belle lurette que les Australasiens avaient rejoint, à bord de la vedette de commandement, le petit groupe qui devenait foule.

C'était maintenant une lutte franche entre la *Diane* et le *Lebedev* — les Martiens n'avaient pas abandonné, mais comptaient quinze cents bons kilomètres de retard, et ne constituaient donc plus une menace sérieuse. D'ailleurs, on voyait mal ce que le *Lebedev* pourrait faire lui aussi pour rattraper la *Diane* ; mais tout au long du second tour, pendant la nouvelle éclipse et la longue et lente dérive contre le Soleil, Merton sentit grandir en lui une sourde inquiétude.

Il connaissait les pilotes et les ingénieurs russes. Il y avait vingt ans qu'ils essayaient de gagner cette course — et, après tout, ce ne serait que justice qu'ils la gagnent : n'était-ce pas Piotr Nicolevitch Lebedev qui le premier avait détecté la pression du rayonnement solaire, tout au début du xxe siècle ?

Ils n'y étaient jamais parvenus. Mais ils n'abandonneraient jamais leurs efforts. Dimitri devait avoir quelque chose derrière la tête — et ce serait du spectaculaire.

A bord de la vedette officielle, près de deux mille kilomètres derrière les concurrents, le Commodore van Stratten fixait un regard consterné et furieux sur le radiogramme qui avait parcouru des dizaines de millions de kilomètres, depuis le chapelet d'observatoires suspendus à bonne distance de la surface solaire embrasée, pour lui apporter la pire des nouvelles possibles.

Le Commodore (titre purement honorifique, bien sûr : sur Terre, il était professeur d'astrophysique à Harvard[1]) s'y attendait à moitié. Car jamais encore la course n'avait été organisée si tard dans la saison. Il y avait eu de nombreux ajournements. On avait misé sur la chance, et maintenant, semblait-il, tout le monde risquait de perdre.

Dans les profondeurs de l'astre solaire, d'énormes forces s'amassaient. A tout moment, l'énergie d'un million de bombes à hydrogène pouvait se déchaîner — stupéfiante explo-

1. « Commodore » est un haut grade dans la marine britannique et américaine, juste au-dessous de contre-amiral ; mais on donne aussi ce titre aux présidents de clubs nautiques (N.d.T.).

sion appelée éruption solaire. A des millions de kilomètres à l'heure, une boule de feu invisible, dont la taille représentait plusieurs fois celle de la Terre, s'élancerait du Soleil dans l'espace.

Le nuage de gaz ionisé passerait probablement fort loin de la Terre ; sinon, il arriverait en un peu plus d'un jour. Les vaisseaux spatiaux n'avaient rien à craindre, avec leur blindage et leurs puissants écrans magnétiques ; mais les légers voiliers du Soleil, aux parois minces comme du papier, étaient sans défense contre une telle menace. Il faudrait recueillir les équipages et abandonner la course.

Tout cela restait ignoré de Merton, qui doublait la Terre pour la seconde fois. Si tout se passait bien, ce serait le dernier tour, pour lui et pour les Russes. Leur spirale leur avait fait gagner des milliers de kilomètres d'altitude, grâce à l'énergie des rayons solaires. Ce nouveau tour de piste devrait les libérer complètement de la Terre, et leur permettre de se lancer sur le long parcours vers la Lune. Drôle de course, maintenant : l'équipage du *Rayon de Soleil* avait finalement abandonné, épuisé, après avoir lutté vaillamment avec sa voilure tournante sur près de deux cent mille kilomètres.

Merton ne se sentait pas fatigué : il avait bien mangé, bien dormi, et le comportement de la *Diane* était irréprochable. Le pilote automatique, qui tendait le gréement comme une active petite araignée, orientait sans cesse la voile par rapport au Soleil avec plus de précision qu'un navigateur humain ne l'aurait pu. Des centaines de micrométéorites avaient dû maintenant crever les cinq kilomètres carrés de toile plastique, mais ces trous d'épingle n'avaient nullement fait chuter la poussée.

Merton n'avait que deux soucis. D'abord, le hauban numéro huit ne pouvait plus être réglé convenablement : à l'improviste, le moulinet s'était coincé. Même après tant d'années de construction astronautique, les coussinets grippaient parfois dans le vide. Faute de pouvoir allonger ou raccourcir ce hauban, il faudrait manœuvrer au mieux au moyen des autres. Heureusement, le plus dur était fait : désormais, la *Diane* aurait le Soleil derrière elle et irait donc « vent arrière » ; or, comme on le répétait au temps de la marine à voile, ce n'est pas bien malin de mener ton bateau quand le vent souffle dans ton dos.

Le second souci de Merton était le *Lebedev* : il l'avait encore sur les talons. Le voilier russe, qui était à moins de cinq cents kilomètres, s'était montré remarquablement manœuvrable, grâce aux quatre grands panneaux inclinables qui entouraient la voile centrale : en contournant la Terre, il avait accompli ses retournements avec une précision magistrale. Mais cette maniabilité supérieure, il avait dû la payer en rapidité : on ne pouvait gagner sur les deux tableaux. Dans la longue ligne droite qu'on abordait maintenant, Merton devrait pouvoir lui tenir tête. Mais il ne pourrait être certain de la victoire avant que, dans trois ou quatre jours, la *Diane* dépasse comme un éclair la face cachée de la Lune.

Et voilà qu'à la cinquantième heure de la course, juste après avoir bouclé la seconde orbite autour de la Terre, Markov révéla soudain sa petite surprise.

« Salut, John ! » fit-il d'un ton détaché sur le circuit radio entre les vaisseaux. « Si tu veux bien regarder ça, ça ne devrait pas manquer d'intérêt. »

Merton se propulsa jusqu'au périscope et le régla au grossissement maximal. Et là, dans le champ de vision, invraisemblable apparition sur le fond constellé, brillait la croix de Malte du *Lebedev,* toute petite mais parfaitement claire. Sous les yeux de Merton, les quatre bras de la croix se détachèrent du carré central et partirent à la dérive, avec tous leurs espars et leurs cordages, dans l'espace.

Markov s'était délesté de toute la masse inutile, maintenant qu'il atteignait la vitesse de libération et n'avait plus besoin de cheminer patiemment autour de la Terre en prenant de la vitesse à chaque tour. Désormais, le *Lebedev* serait pratiquement ingouvernable, mais peu importait : il avait derrière lui toute la navigation délicate. C'était comme si un yachtman d'autrefois avait délibérément jeté à la mer son gouvernail et sa lourde quille, sachant que le reste de la course serait en ligne droite, par vent arrière et sur une mer d'huile.

« Bien joué, Dimitri », fit Merton à la radio. « Très astucieux ! mais pas tout à fait assez : tu ne peux plus me rattraper maintenant. »

« Je n'en ai pas encore terminé », répondit le Russe. « Il y a dans mon pays un vieux conte d'hiver sur un traîneau poursuivi par des loups. Pour sauver sa propre vie, le cocher doit jeter par-dessus bord ses passagers l'un après l'autre. Tu vois l'analogie ? »

Merton ne la voyait que trop bien. Pour cette dernière ligne droite, Dimitri n'avait plus besoin de son copilote. Les ponts pouvaient vraiment être dégagés pour le banle-bas de combat.

« Alexis n'appréciera guère cela », répondit Merton. « En outre, c'est contraire au règlement. »

« Alexis n'apprécie pas, mais c'est moi le patron. Il n'aura à subir que dix minutes d'attente, avant d'être recueilli par le Commodore. Quant au règlement, il ne précise pas l'effectif de l'équipage, tu es bien placé pour le savoir. »

Merton ne répondit pas : il s'était plongé en toute hâte dans des calculs fondés sur ce qu'il savait de la conception du *Lebedev*. Ce qu'il en ressortit, c'est que la course était loin d'être jouée : le *Lebedev* le rattraperait à peu près au moment où il espérait dépasser la Lune.

Mais le résultat était déjà en train de se décider, à cent cinquante millions de kilomètres de là.

A l'Observatoire Solaire III, dont l'orbite était bien inférieure à celle de Mercure, les instruments automatiques enregistrèrent tout le déroulement de l'éruption. Un quart de milliard de kilomètres carrés, à la surface du Soleil, s'embrasèrent avec une violence qui, en comparaison de leur blancheur bleutée, réduisit le reste du disque à un pâle rougeoiement. De cet enfer bouillonnant jaillit, en se tordant et se balançant comme un être vivant dans les champs magnétiques qu'il créait lui-même, le grand jet de plasma ionisé que précédait en avant-coureur, à la vitesse de la lumière, l'éclair de rayons x et ultraviolets. Ce dernier atteindrait la Terre en huit minutes. Il était relativement inoffensif ; mais il n'en allait pas de même des atomes ionisés qui le suivaient à leur train de sénateur — six millions et demi de kilomètres à l'heure ! — et qui, au bout d'un peu plus d'un jour, engloutiraient la *Diane,* le *Lebedev* et la petite flotte qui les accompagnait dans un nuage de radiations mortelles.

Le Commodore attendit la dernière minute pour prendre sa décision. Même lorsque l'on eut repéré la trajectoire du jet de plasma au-delà de l'orbite de Vénus, il restait une chance qu'il manquât la Terre. Mais quand il fut à moins de quatre heures de distance et eut déjà été capté par le réseau radar basé sur la Lune, van Stratten sut qu'il n'y avait plus d'espoir. Il n'y aurait plus de régates solaires pendant cinq ou six ans — jusqu'à ce que le Soleil eût retrouvé le calme.

D'un bout à l'autre du système solaire, ce ne fut qu'un grand soupir de déception : la *Diane* et le *Lebedev* étaient à mi-chemin entre la Terre et la Lune, au coude à coude ; et voilà que personne ne saurait jamais lequel des deux voiliers était le meilleur. Les fervents discuteraient du résultat pendant des années ; dans les annales, il serait simplement consigné que la course avait été annulée par suite d'une tempête solaire.

Lorsque John Merton reçut cet ordre, il en conçut une amertume qu'il n'avait pas éprouvée depuis l'enfance. Par-delà les années lui revint, net et vif, le souvenir de son dixième anniversaire. On lui avait promis un modèle réduit à l'échelle du célèbre vaisseau spatial *Etoile du Matin,* et depuis des semaines il faisait des projets : comment il allait l'assembler, où il le suspendrait dans sa chambre... Et voilà qu'au dernier moment son père l'avait désabusé : « Désolé, John, ça coûte trop cher. L'année prochaine, peut-être... »

Un demi-siècle avait passé, il avait derrière lui toute une vie réussie, mais il était à nouveau un petit garçon au cœur gros.

Un instant, il envisagea de désobéir au Commodore. S'il continuait sans tenir compte de l'avertissement, la course aurait beau être annulée, il pourrait accomplir la traversée vers la Lune qui resterait dans les annales pendant des générations.

Mais ce serait plus qu'une bêtise, ce serait un suicide — et une forme de suicide particulièrement désagréable. Il avait vu des hommes mourir de contamination radioactive, par suite d'une défaillance du bouclier magnétique de leur vaisseau dans l'espace... Non, rien ne pouvait valoir qu'on le paie de ce prix.

Il était navré pour Dimitri Markov autant que pour lui-même : ils avaient tous deux mérité de gagner, et voilà que la victoire leur était refusée à tous deux. Quand le Soleil était en colère, il n'y avait pas de discussion possible, bien que l'on pût par ailleurs chevaucher ses rayons jusqu'au fin fond de l'espace.

En poupe, à quatre-vingts kilomètres seulement, la vedette du Commodore accostait le *Lebedev* pour embarquer son capitaine. La voile d'argent se détacha : Dimitri — avec des sentiments que Merton allait partager — avait coupé le gréement. La petite capsule, elle, serait ramenée à Terre, pour être peut-être réutilisée ; mais les grandes voiles ne se déployaient que pour un seul voyage.

Merton pouvait appuyer dès maintenant sur le bouton de largage, afin de faire gagner quelques minutes à ses sauveteurs. Mais il ne pouvait s'y résoudre : il voulait rester jusqu'au bout à bord de la petite embarcation qui avait si longtemps fait partie de ses rêves et de sa vie. La grande voile était maintenant déployée perpendiculairement à la direction du Soleil : la poussée était maximale. Il y avait longtemps qu'elle l'avait arraché à l'emprise de la Terre, et la *Diane* gagnait toujours de la vitesse.

Soudain, surgie de nulle part, balayant tout doute, toute hésitation, lui vint la révélation de ce qu'il fallait faire. Il s'assit pour la dernière fois devant l'ordinateur qui lui avait servi de navigateur jusqu'à mi-distance de la Lune.

Lorsqu'il eut terminé, il rassembla ses quelques affaires personnelles et le livre de bord. Puis, avec maladresse, car il avait perdu l'habitude, et ce n'était pas facile sans aide, il se hissa dans la combinaison spatiale de secours. Il était juste en train de fermer le casque lorsque la voix du Commodore lui parvint par radio : « Nous viendrons bord à bord dans cinq minutes, Capitaine. Voudriez-vous larguer votre voile, afin que nous ne l'accrochions pas. »

John Merton, premier et dernier capitaine du voilier solaire *la Diane,* hésita un instant. Il parcourut une dernière fois des yeux la petite cabine, avec l'éclat de ses instruments et la disposition parfaite de ses commandes, maintenant bloquées dans leur ultime position. Puis il dit au micro : « J'évalue mon bord. Prenez votre temps pour me récupérer. La *Diane* peut se débrouiller toute seule. »

Il n'y eut pas de réponse, et Merton en fut reconnaissant au professeur van Stratten : ce dernier ne pouvait manquer de deviner ce qui se passait, et de comprendre qu'en ces derniers instants il souhaitait qu'on le laissât seul.

Il ne prit pas la peine, avant d'ouvrir le sas, d'évacuer l'air, et celui-ci en s'échappant le propulsa doucement dans l'espace. Il faisait confiance à la *Diane*, et c'était là le dernier don qu'il lui accordait. Il la vit diminuer en s'éloignant de lui, la voile scintillant magnifiquement aux rayons du Soleil qui seraient à elle pour les siècles à venir. Dans deux jours elle dépasserait la Lune en un éclair : la Lune, comme la Terre, ne pourrait jamais s'en emparer. Maintenant qu'il n'était plus là pour la ralentir avec son poids, elle gagnerait trois mille kilomètres à l'heure chaque jour de son voyage. Dans un mois elle se déplacerait plus vite qu'aucun navire jamais construit par l'homme.

La distance allait certes affaiblir le rayonnement solaire, et son accélération baisser ; mais même à la hauteur de Mars, elle prendrait quinze cents kilomètres-heure chaque jour. Et il y aurait alors beau temps qu'elle aurait atteint une vitesse trop grande pour que le Soleil lui-même la retienne. Plus vite qu'une comète n'en avait jamais surgi en un trait de feu, elle se précipiterait dans l'abîme étoilé.

L'éclat des fusées, à quelques kilomètres seulement, attira le regard de Merton. La vedette venait le recueillir — avec une accélération des milliers de fois supérieure à celle que la *Diane* pourrait jamais atteindre. Mais ses moteurs ne pouvaient fonctionner que quelques minutes avant d'avoir brûlé tout leur combustible — tandis que la *Diane* prendrait encore de la vitesse, poussée par les feux éternels du Soleil, dans les millénaires à venir.

« Adieu, mon petit navire », fit John Merton. « Je me demande quels yeux te contempleront après les miens, dans des milliers d'années... »

Il se sentait enfin en paix, tandis que la vedette approchait avec précaution de lui son nez camus. Il ne gagnerait jamais la course vers la Lune ; mais son navire serait le premier de tous ceux de l'homme à mettre à la voile pour le long voyage vers les étoiles.

Publié sous le titre *Sunjammer* dans *Boy's Life* en 1964 et dans *New Worlds* en 1965, et sous celui de *The Wind from the Sun* dans le recueil homonyme en 1972 et dans *The Best of A. Clarke* en 1973.

MYSTÈRE SUR LA LUNE

Avec cette cinquième histoire, écrite en juin 1963, on revient au cadre de la seconde ; mais cette fois le suspense est celui d'une enquête, au terme de laquelle on apprend le « secret des hommes sur la Lune » — traduction littérale du premier titre sous lequel elle a été publiée. Or il est une autre nouvelle de Clarke qui pourrait porter ce titre : c'est « Out of the Cradle » (Dude, mars 1959), la seule du recueil Tales of Ten Worlds *à n'être parue en France ni en volume ni en revue. On reconnaît là une démarche fréquente chez Clarke (cf.* Livre d'or *p. 37) : donner plusieurs développements possibles à des prémisses semblables. Seulement, le secret est beaucoup plus grave dans cette nouvelle-ci, malgré sa brièveté ; si grave que le journaliste qui le découvre se demande si la déontologie de sa profession exige qu'il le révèle au public ou qu'il le taise.*

Henry Cooper était sur la Lune depuis bientôt deux semaines lorsqu'il s'aperçut qu'il y avait quelque chose qui clochait. Ce ne fut d'abord qu'un vague soupçon, le genre de pressentiment qu'un journaliste scientifique à la tête froide n'était pas homme à prendre trop au sérieux. S'il était venu ici, après tout, c'était à la demande même de l'Administration Spatiale des Nations-Unies (UNSA), qui était depuis toujours très portée sur les relations publiques, surtout juste avant le vote du budget, lorsqu'un monde surpeuplé réclamait à grands cris davantage de routes, d'écoles et de fermes sous-marines, et déplorait les milliards déversés dans l'espace.

Cooper était donc là, à faire la tournée lunaire pour la

seconde fois, en transmettant un reportage de deux mille mots par jour. Cela n'avait certes plus l'attrait de la nouveauté ; mais il restait le prodige et le mystère d'un monde aussi grand que l'Afrique, dont la cartographie était très poussée, et qui restait pourtant presque totalement inexploré. A un jet de pierre des dômes pressurisés, des laboratoires et des astroports, il y avait un vide béant qui défierait les hommes pendant des siècles encore.

Certaines parties de la Lune étaient certes familières, presque trop même : qui n'avait vu cette cicatrice poussiéreuse dans la Mer des Pluies, avec son pylône de métal brillant, et la plaque qui annonçait dans les trois langues officielles de la Terre :

EN CE LIEU
À 20H01 TEMPS UNIVERSEL
LE PREMIER OBJET FAIT DE MAIN D'HOMME
A ATTEINT UN AUTRE MONDE

Cooper avait visité l'endroit où était enterré Lunik II, et la tombe plus célèbre des hommes qui étaient venus après. Mais tout cela appartenait au passé et déjà, comme Christophe Colomb et les frères Wright, se perdait au loin dans l'histoire. Ce qui comptait pour Cooper maintenant, c'était l'avenir.

Lorsqu'il s'était posé à l'astroport d'Archimède, l'Administrateur Principal avait montré à l'évidence son plaisir à le voir et l'intérêt personnel qu'il prenait à sa tournée. Transport, logement, guide officiel, on avait tout organisé pour lui. Il pouvait aller où bon lui semblait, poser les questions qu'il voulait. L'UNSA lui faisait confiance, car il s'était toujours montré amical et soucieux de véracité. Et pourtant, sa visite avait mal tourné ; il ne savait pas pourquoi, mais il allait le découvrir.

Il décrocha le téléphone : « Le standard ? Passez-moi la Direction de la Police, je vous prie. Je voudrais parler à l'Inspecteur Général. »

Il était vraisemblable que Chandra Kumaraswamy possédait un uniforme, mais Cooper ne l'avait jamais vu le porter. Ils se rencontrèrent, comme convenu, à l'entrée du petit parc qui faisait la fierté et la joie de Platon-Ville. Il était presque désert à cette heure matinale de la « journée » artificielle de vingt-quatre heures, et ils ne risquaient pas d'être dérangés dans leur conversation.

Tout en parcourant les étroites allées gravillonnées, ils évoquèrent des souvenirs, des amis communs du temps où ils étaient étudiants ensemble, la tournure que prenait la politique interplanétaire... Ils avaient atteint le milieu du parc, situé exactement sous le centre du grand dôme peint en bleu, lorsque Cooper en vint à l'essentiel.

« Tu es au courant de tout ce qui se passe sur la Lune, Chandra », dit-il. « Et tu sais que je suis ici pour réaliser une série de reportages pour l'UNSA — j'espère en tirer un livre une fois de retour sur Terre. Alors pourquoi essaie-t-on de me cacher des choses ? »

Faire presser Chandra était chose impossible : il prenait toujours son temps pour répondre aux questions, et ses rares paroles avaient du mal à franchir l'obstacle de sa pipe bavaroise sculptée à la main.

« Qui ça, *on* ? » fit-il enfin.

« Tu n'en as vraiment aucune idée ? »

L'Inspecteur Général secoua la tête : « Pas la moindre. » Cooper savait qu'il disait la vérité : Chandra était capable de se taire, mais non de mentir.

« C'est bien ce que je craignais. Eh bien, si tu n'en sais pas plus que moi, voici le seul indice dont je dispose, et il me fait peur : la Recherche médicale essaie de me tenir à distance. »

« Onhon », fit Chandra, en ôtant sa pipe de sa bouche et en la considérant d'un air pensif.

« C'est tout ce que tu trouves à dire ? »

« Ce que tu m'as donné comme bases, c'est plutôt maigre. N'oublie pas que je ne suis qu'un flic : je n'ai pas ta vive imagination de journaliste. »

« Tout ce que je peux te dire, c'est que plus je monte haut dans la Recherche médicale, plus l'atmosphère se refroidit. A ma dernière visite ici, tout le monde était très aimable et m'a fourni d'excellentes informations. Mais cette fois, je ne peux pas même voir le Directeur. Il est toujours trop occupé, ou parti à l'autre bout de la Lune. Quel genre d'homme est-ce ? »

« Le Docteur Hastings ? Un petit bonhomme pas commode. Très compétent, mais guère coopératif. »

« Qu'est-ce qu'il pourrait bien avoir à cacher ? »

« Te connaissant, je suis sûr que tu as de passionnantes théories. »

« Oh ! j'ai pensé à des tas de choses : drogues, fraude, complot politique ; mais tout cela n'a pas de sens ces temps-ci. En procédant par élimination, la seule solution qui reste me fiche une trouille bleue. »

C'est avec les sourcils que Chandra émit en silence un point d'interrogation. Cooper y répondit sans ambages : « Peste extraterrestre. »

« Je croyais que c'était impossible. »

« Oui... j'ai moi-même écrit des articles prouvant que les formes de vie des autres planètes ont un métabolisme tellement différent qu'il ne peut y avoir d'interréaction avec nous : il a fallu des millions d'années à tous nos parasites, microbes et virus pour s'adapter à notre corps. Mais je me suis toujours demandé si c'était vrai. Et si un vaisseau était revenu de Mars, disons, avec quelque chose de très, très mauvais, et que les docteurs soient incapables d'y faire face ? »

Il y eut un long silence. Enfin, Chandra le rompit : « Je vais ouvrir une enquête. Je n'aime pas ça moi non plus, car — ça m'étonnerait que tu le saches — il y a eu trois dépressions nerveuses parmi le personnel médical le mois dernier... et ça, ça n'est vraiment pas dans les habitudes. »

Il jeta un coup d'œil à sa montre, puis au pseudo-ciel, qui semblait si lointain mais n'était qu'à une soixantaine de mètres au-dessus de leur tête : « On ferait mieux de se mettre en route : l'averse du matin est pour dans cinq minutes. »

Cooper reçut le coup de téléphone quinze jours plus tard, au milieu de la nuit — la véritable nuit lunaire : à l'heure de Platon-Ville, on était dimanche matin.

« Henry ? Ici Chandra. Peux-tu me rejoindre dans une demi-heure au sas numéro cinq ? Bon, eh bien, à tout à l'heure ! »

Ça y est, se dit Cooper. Sas 5, ça voulait dire qu'on allait sortir du dôme : Chandra avait trouvé quelque chose.

Vu la présence d'un chauffeur de la police, la conversation n'alla pas bien loin pendant que le tracteur s'éloignait de la ville sur la route grossièrement frayée à travers les cendres et la pierre ponce. Au sud, très bas, le disque de la Terre, presque plein, jetait une vive lumière bleu-vert sur ce paysage infernal. On avait beau faire, se dit Cooper, il était difficile de prêter à la Lune un charme fascinant. Mais les plus grands secrets de la Nature sont bien gardés : c'est en de tels lieux que l'homme doit venir s'il veut les trouver.

Les dômes multiples de la Ville disparurent derrière l'horizon à la courbe prononcée. Bientôt, le tracteur s'écarta de la route pour suivre une piste à peine visible. Dix minutes plus tard, Cooper vit briller devant eux un hémisphère unique, sur un éperon rocheux isolé. Un autre véhicule, qui portait une croix rouge, était garé près de l'entrée : leur visite n'était apparemment pas la seule.

Et elle n'était pas non plus imprévue. Lorsqu'ils arrivèrent près du dôme, le soufflet du sas se tendit vers eux, cherchant le contact, et se mit en place en claquant contre la coque extérieure du tracteur. Avec un bref sifflement, la pression s'équilibra. Puis Cooper pénétra dans le bâtiment à la suite de Chandra.

Celui qui manœuvrait le sas les conduisit, par des couloirs courbes et des passages radiaux, vers le centre du dôme. Ils apercevaient parfois des laboratoires, des instruments scientifiques, des ordinateurs — d'aspect tout à fait ordinaire, et tous désertés en ce dimanche matin. Ils devaient avoir atteint le cœur du bâtiment, se dit Cooper, lorsque leur guide les introduisit dans une vaste salle circulaire et ferma doucement la porte derrière eux.

C'était un petit zoo. Tout autour d'eux, ils pouvaient voir des cages, des aquariums, des bocaux contenant un large éventail de la flore et de la faune terrestres. Au centre les attendait un petit homme à cheveux gris, l'air très inquiet et très malheureux.

« Docteur Hastings », dit Kumaraswamy, « je vous présente Monsieur Cooper. » L'Inspecteur Général, se tournant vers son compagnon, ajouta : « J'ai convaincu le Docteur qu'il n'y avait qu'un moyen de te faire tenir tranquille : tout te dire. »

« Franchement », dit Hastings, « je me demande si je ne m'en fiche pas, maintenant. » Sa voix était mal assurée, il la contrôlait à peine, et Cooper se dit : Holà ! Encore une dépression nerveuse en perspective !

Sans perdre de temps en vaines formalités, telles que poignées de main, le savant s'approcha d'une des cages, en sortit une petite boule de fourrure et la tendit vers Cooper. « Savez-vous ce que c'est que ça ? » lui demanda-t-il à brûle-pourpoint.

« Bien sûr ! Un hamster, le plus commun des animaux de laboratoire. »

« Oui », dit Hastings. « Un hamster doré tout à fait ordinaire. Sauf que celui-ci a cinq ans, comme d'ailleurs tous ceux qui sont dans cette cage. »

« Et alors ? Qu'est-ce que ça a d'étonnant ? »

« Oh ! rien... rien du tout... une broutille : les hamsters ne vivent que deux ans. Et nous en avons ici qui vont sur dix ans. »

Pendant un instant, personne ne souffla mot. Mais la salle était loin d'être silencieuse : elle était pleine de bruissements, de glissements, de grattements, de couinements, de piaillements. Puis Cooper murmura : « Mon Dieu ! Vous avez trouvé un moyen de prolonger la vie ! »

« Non », répliqua Hastings. « Nous ne l'avons pas trouvé. La Lune nous l'a donné... comme nous aurions pu nous en douter, si nous avions regardé plus loin que le bout de notre nez. »

Il semblait avoir maîtrisé ses émotions, comme s'il était redevenu le scientifique pur, fasciné par la découverte en soi et dédaigneux de ce qu'elle impliquait.

« Sur Terre », dit-il, « nous passons toute notre vie à combattre la pesanteur. Elle épuise nos muscles, déforme notre estomac... Et le sang que pompe le cœur, en soixante-dix ans, cela représente combien de tonnes, et combien de kilomètres de hauteur ? Et tous ces efforts, toutes ces fatigues, sur la Lune, sont réduits à un sixième : une personne de quatre-vingts kilos en pèse ici moins d'une quinzaine. »

« Je vois », fit Cooper lentement. « Dix ans pour un hamster... et combien de temps pour un homme ? »

« Ce n'est pas une règle simple », répondit Hastings. « Cela varie selon la taille et l'espèce. Il y a un mois seulement, nous n'avions pas de certitude. Mais maintenant, il y a une chose dont nous sommes sûrs : sur la Lune, la durée de la vie humaine sera au moins de deux cents ans. »

« Et vous avez essayé de garder le secret là-dessus ? »

« Espèce d'idiot, vous ne comprenez donc pas ? »

« Du calme, Docteur, du calme ! » fit doucement Chandra.

Avec un effort de volonté manifeste, Hastings reprit le contrôle de lui-même. Il se mit à parler avec un calme si glacial que ses paroles pénétrèrent l'esprit de Cooper comme des gouttes de pluie glacées.

« Pensez à tous ceux qui sont là-haut », dit-il en tendant le doigt vers le toit, vers la Terre dont personne sur la Lune ne pouvait jamais oublier l'imposante présence. « Six milliards d'hommes ! Ils envahissent tous les continents d'un rivage à l'autre, et débordent maintenant jusque sur les fonds marins. Et ici » — il baissa la main vers le sol — « nous ne sommes, nous, que cent mille, sur un monde presque vide. Mais un monde où il nous faut des miracles de technologie et d'équipement rien que pour exister ; où, si on a un Q.I. qui ne dépasse pas 150, on ne peut même pas trouver de travail.

« Et voilà maintenant que nous découvrons que nous pouvons vivre deux cents ans ! Tâchez d'imaginer comment une telle nouvelle sera accueillie ! C'est votre problème, maintenant, Monsieur le Journaliste : vous l'avez bien cherché. Dites-moi, je vous prie — j'aimerais vraiment le savoir —, sous quelle forme exactement vous comptez annoncer ça ! »

Il attendit, attendit encore, la réponse de Cooper, qui ouvrit la bouche, puis la referma, incapable de trouver quoi dire.

Au fond de la salle s'éleva la plainte d'un bébé-singe.

Publié sous le titre *The Secret of the Men on the Moon* dans *This Week* (13.8.63) et *The Secret* dans *The Wind from the Sun* (1972).

DERNIÈRES INSTRUCTIONS

Une nouvelle encore plus brève que la précédente, et encore plus profonde peut-être : après le problème de la vie prolongée pour quelques-uns, celui de la mort soudaine pour tous. Écrite en juin 1963, publiée en novembre 1965, elle est tout à fait contemporaine de Fail-Safe *(le roman est de 1963, le film de 1964) ; et, comme* Fail-Safe, *elle n'a nullement vieilli en vingt ans — hélas ! car c'est dire que la menace est plus que jamais actuelle. Le drame est ici poussé plus loin encore ; et, s'il était déjà fort inconfortable de se mettre à la place de Henry Fonda dans le film, il est bien difficile de jurer qu'on choisirait le bon sens prêché par Clarke. Sincèrement, vous en auriez la force, vous ? Moi, j'en doute.*

« C'est le Président qui vous parle. Le fait que vous m'entendiez lire ce message signifie que je suis déjà mort et que notre pays est détruit. Mais vous êtes des soldats — ceux qui, dans toute notre histoire, ont reçu la formation la plus poussée. Vous savez obéir. Il vous faut maintenant obéir à un ordre plus dur à exécuter que tous ceux que vous avez jamais reçus... »

Dur ? se dit le premier Officier-Radar avec amertume. Non ! ce serait facile maintenant, après avoir vu la terre qui leur était chère brûlée par la chaleur de mille soleils. Il ne pouvait plus y avoir d'hésitation, de scrupules, à faire tomber sur les innocents comme sur les coupables la vengeance des dieux. Mais pourquoi, *pourquoi* avoir attendu si longtemps ?

« Vous connaissez le but pour lequel on vous a placés sur cette orbite secrète au-delà de la Lune : sachant que vous existiez, mais ignorant toujours votre emplacement exact, un agresseur éventuel hésiterait à lancer une attaque contre nous. Vous deviez être l'Ultime Dissuasion, hors de portée des Bombes Sismiques capables d'écraser les missiles dans leurs silos souterrains, de fracasser les sous-marins nucléaires rôdant au fond des mers. Vous nous donniez la possibilité de représailles même si toutes nos autres armes étaient détruites... »

Et elles l'ont été, se dit le Capitaine. Il avait vu les lumières s'éteindre une à une sur le Tableau des Opérations, jusqu'à la dernière. Beaucoup, peut-être, avaient fait leur devoir ; sinon, il allait bientôt achever leur tâche : rien de ce qui avait survécu à la première riposte n'existerait après le coup qu'il se préparait à infliger.

« Seul un accident, ou la folie, pouvait déclencher la guerre, vu la menace que vous représentez : telle était la conjecture sur laquelle nous misions notre vie ; et maintenant, pour des raisons que nous ignorerons toujours, nous avons perdu notre pari... »

L'Astronome Principal laissa son regard errer vers le petit hublot unique sur le côté du poste de commande central. Oui, ils avaient perdu, en effet. La Terre était là, splendide croissant d'argent suspendu sur le fond étoilé. A première vue, rien de changé ; mais à première vue seulement : car l'hémisphère sombre n'était plus totalement sombre.

Il était constellé de taches à la funeste phosphorescence : les mers de feu qui avaient été des villes. Il n'y en avait plus guère maintenant, car il ne restait plus grand-chose à brûler.

La voix familière continuait à leur parvenir d'outre-tombe. Depuis combien de temps, se demandait l'Officier des Transmissions, ce message avait-il été enregistré ? Et quelles autres instructions secrètes contenait le cerveau surhumain du fort, l'ordinateur de combat, qu'ils n'entendraient jamais, puisqu'elles répondaient à des situations stratégiques qui ne pouvaient plus se présenter ? Il ramena avec effort sa pensée des mondes qui auraient pu être à la réalité effroyable et encore inconcevable qu'il fallait affronter.

« ... Si nous avions été vaincus mais non détruits, nous espérions utiliser votre existence comme atout dans le marchandage. Maintenant, même ce malheureux espoir a disparu ; et, avec lui, la dernière justification de votre présence dans l'espace. »

Que veut-il dire ? se demanda l'Officier des Armements. C'est maintenant, bien sûr, que sonnait l'heure de leur destin. Les millions de morts, et les millions qui regrettaient de ne pas l'être, tous allaient être vengés quand les cylindres noirs des bombes de milliers de mégatonnes allaient descendre en spirale vers la Terre.

On aurait dit que l'homme qui n'était plus que poussière avait lu dans son esprit : « Vous vous demandez pourquoi, maintenant qu'on en est venu là, je n'ai pas donné l'ordre de riposter. C'est ce que je vais vous dire.

« Il est trop tard maintenant. La Force de Dissuasion a échoué. Notre patrie n'existe plus, et la vengeance ne peut faire revivre les morts. Maintenant qu'une moitié de l'humanité a été détruite, détruire l'autre moitié serait insensé, indigne d'hommes doués de raison. Les querelles qui nous opposaient il y a vingt-quatre heures n'ont plus de sens. Dans la mesure où votre cœur peut vous le permettre, vous devez oublier le passé.

« Vous possédez des capacités et des connaissances dont une planète ébranlée va avoir un besoin pressant. Utilisez-les — sans lésinerie, sans amertume — pour reconstruire le monde. Je vous ai avertis que votre devoir serait difficile, mais voici mon dernier ordre :

« Vous enverrez vos bombes au loin dans l'espace, et les ferez exploser à dix millions de kilomètres de la Terre. Ceci prouvera à notre ex-ennemi, qui reçoit aussi ce message, que vous vous êtes dépouillés de vos armes.

« Puis vous aurez une chose de plus à faire. Hommes de Fort Lénine, le Président du Soviet Suprême vous dit adieu et vous ordonne de vous mettre à la disposition des Etats-Unis. »

The Last Command.
Première publication : *Bizarre Mystery Magazine,* novembre 1965.

QUI EST À L'APPAREIL ?

« *Un de nos chercheurs m'a posé un jour cette colle : "Quelle est la plus grande machine au monde ?" Après avoir mis plusieurs fois à côté de la plaque, j'ai donné ma langue au chat, et il m'a fourni la réponse : "Le réseau téléphonique international. Il y a 450 millions de téléphones sur Terre, dont 250 sont reliés entre eux par l'automatique, sans que dans aucun central la main de l'homme ait à intervenir".* »

Non, ces lignes ne sont pas de Clarke, mais de Desmond Bagley, dans un excellent roman d'espionnage, The Enemy *(qui ne figure malheureusement pas parmi les trois « thrillers » de cet auteur méconnu traduits aux Presses de la Cité :* La Corde raide, Coupe sombre *et* Une torpille pour l'héroïne*).*

Toutefois, Bagley omet un élément capital dans le développement des télécommunications : les satellites. Voici par exemple ce qu'on a pu lire dans Time *n°46 de 1982, à la veille du lancement de* Columbia, *dans un article sur les accords passé avec la NASA par deux compagnies (Telesat Canada et Comsat) pour la mise en orbite de leurs satellites par la navette :*

« Une fois en orbite, les satellites représenteront des éléments de ce qui est rapidement en train de devenir un vaste et complexe réseau de télécommunications commerciales, à 35 000 kilomètres au-dessus de la surface de la Terre. Sur ce réseau circule déjà un torrent d'informations, depuis les cotations des actions et obligations pour les banques et les maisons de courtage jusqu'aux communications téléphoniques, aux débats en duplex et aux films en première vision pour les chaînes de télévision et les compagnies de distribution par câbles. »

De ces possibilités nouvelles, Clarke est hautement conscient depuis fort longtemps, puisque dès la fin de la guerre il prévoyait et préconisait l'utilisation pacifique des satellites-relais (« Extraterrestrial Relays », in Wireless World, *octobre 1945) ; et par la suite il n'a cessé de revenir sur le sujet, dans des articles et des causeries à caractère scientifique et technologique, social et économique (cf. notamment le* Livre d'or *pp. 12, 25 et 28).*

Mais, dans la nouvelle qui suit (troisième des textes courts mais lourds de sens écrits en juin 1963), c'est sur un mode beaucoup plus léger qu'il traite le thème : par la présentation (conversation animée entre des personnages qui se connaissent bien et ont tous leurs manies et leurs marottes) comme par le contenu (idée scientifique ou progrès technologique récents développés logiquement jusqu'à l'absurde), elle s'inscrit — malgré l'absence de Harry Purvis — dans la lignée des Tales of the White Hart, *ce festival d'humour scientifique dont, faute d'une publication intégrale en français, on a pu lire de savoureux échantillons dans* Planète n°3, *dans le recueil l'*Etoile *(J'AI LU, 1979) et surtout dans le* Livre d'or.

A 1 h 50 G.M.T., le 1er décembre 1975, tous les téléphones du monde se mirent à sonner.

Un quart de milliard de gens décrochèrent et prêtèrent l'oreille pendant quelques secondes avec mécontentement ou perplexité. Ceux qui avaient été éveillés au milieu de la nuit supposèrent que l'appel provenait de quelque ami lointain, sur le réseau de liaisons par satellites qui avait été inauguré à grand renfort de publicité la veille. Mais sur la ligne ne se faisait entendre aucune voix, seulement ce qui, pour certains, ressemblait au bruit de la mer, pour d'autres aux vibrations de cordes de harpe dans le vent. Et il y en eut davantage encore en cet instant pour se rappeler un des secrets de l'enfance : le battement du sang dans les veines que l'on entend lorsque l'on couvre son oreille d'un coquillage. Quel que fût ce son, il ne dura pas plus de vingt secondes avant d'être remplacé par la tonalité.

Tous les abonnés du monde jurèrent, grommelèrent « Faux numéro ! » et raccrochèrent. Certains cherchèrent à obtenir les réclamations, mais la ligne semblait occupée. Au bout de quelques heures, tout le monde avait oublié l'incident, sauf ceux dont c'est la tâche de se soucier de telles choses.

Au Centre de Recherches des Postes, la discussion avait duré toute la matinée, et n'avait abouti à rien. Elle ne connut pas de trêve pendant la pause du déjeuner, où les ingénieurs affamés envahirent le petit café d'en face.

« Je persiste à penser », dit Willy Smith, le spécialiste des semi-conducteurs, « qu'il s'agit d'une surcharge temporaire due au branchement du réseau de satellites. »

« Cela avait de toute évidence quelque chose à voir avec les satellites », admit Jules Reynier, concepteur de circuits. « Mais pourquoi ce délai ? On les a branchés à minuit, et c'est deux heures après que cela a sonné, comme nous le savons tous à nos dépens. » Il bâilla à s'en décrocher la mâchoire.

« Qu'en pensez-vous, Doc ? » demanda Bob Andrews, programmeur en informatique. « On ne vous a guère entendu de toute la matinée. Vous avez sûrement quelque idée ? »

Le Docteur John Williams, Directeur de la Section des Mathématiques, s'agita sur sa chaise d'un air gêné : « Oui, j'en ai une... mais vous ne la prendrez pas au sérieux. »

« Aucune importance ! Même si c'est aussi dingue que ces histoires de science-fiction que vous écrivez sous pseudonyme, ça peut nous mettre sur la voie. »

William rougit, mais pas trop : tout le monde était au courant pour ses nouvelles, et il n'en avait pas honte ; après tout, elles avaient bel et bien été publiées en volume (soldé à cinq shillings : il lui en restait une bonne centaine d'exemplaires).

« Très bien », dit-il en griffonnant sur la nappe. « C'est un sujet sur lequel je m'interroge depuis des années. Avez-vous déjà réfléchi à l'analogie entre un standard de téléphone automatique et le cerveau humain ? »

« Qui n'y a songé ? » railla l'un de ceux qui l'écoutaient. « C'est une idée qui doit remonter à Graham Bell ! »

« C'est possible : je n'ai jamais dit qu'elle était originale.

99

Mais ce que je dis, c'est qu'il est temps de la prendre au sérieux. » Il jeta un regard torve aux tubes fluorescents qui brillaient au-dessus de la table (ils étaient nécessaires par cette brumeuse journée d'hiver) : « Qu'est-ce qu'elles ont, ces fichues lumières ? Il y a cinq minutes qu'elles vacillent ! »

« Ne vous en faites pas pour ça ! Maisie a probablement oublié de régler sa note d'électricité. On attend la suite de votre théorie. »

« Ce n'est pas tant de la théorie que la pure et simple réalité. On sait que le cerveau est un système de commutateurs — les neurones — reliés de façon très complexe par les nerfs. Un standard téléphonique est aussi un système de commutateurs — sélecteurs et autres — reliés par des fils. »

« D'accord », dit Smith. « Mais cette analogie ne vous mènera pas bien loin. N'y a-t-il pas quelque chose comme quinze milliards de neurones dans le cerveau humain ? C'est un nombre bien supérieur à celui des commutateurs d'un standard automatique. »

La réponse de Williams fut interrompue par le hurlement d'un avion à réaction, qui fit trembler tout le café ; il dut attendre pour continuer que les vibrations cessent.

« Je n'en avais jamais entendu voler si bas ! » grommela Andrews. « Je croyais que c'était interdit ? »

« C'*est* interdit ! Mais ne t'en fais pas : les contrôleurs de l'aéroport de Londres l'auront au tournant. »

« Ça, j'en doute », dit Reyner. « C'était l'aéroport lui-même qui guidait ce Concorde en approche au sol. Mais moi non plus, je n'en avais jamais entendu voler si bas. Je ne voudrais pas être à bord ! »

« On va avancer dans cette foutue discussion, oui ou non ? » cria Smith.

« Vous avez raison en ce qui concerne le nombre de neurones du cerveau humain », reprit Williams, nullement décontenancé. « Et c'est ça le cœur du problème. Quinze milliards, ça semble un nombre énorme, mais ça ne l'est pas. Dès les années soixante, il y avait déjà dans le monde un nombre plus élevé de commutateurs individuels dans les standards automatiques. Et aujourd'hui, il y en a dans les cinq fois plus. »

« Je vois », dit Reyner lentement. « Et depuis hier, une complète inter-connexion est possible entre eux, avec les liaisons par satellites. »

« Exactement. »

Un silence tomba ; pendant un instant, on n'entendit rien d'autre que la cloche lointaine d'une voiture de pompiers.

« Mettons bien les choses au point », dit Smith. « Vous suggérez que le réseau téléphonique mondial est maintenant un cerveau géant ? »

« C'est une façon d'exprimer les choses un peu simpliste, anthropomorphique. Je préfère les considérer en termes de masse critique. » Williams tendit les mains devant lui, les doigts en partie repliés.

« Voici deux masses d'uranium 235. Tant qu'elles sont séparées, rien ne se produit. Mais réunissez-les » (il joignit le geste à la parole) « et vous avez quelque chose de *tout à fait* différent d'une masse d'uranium plus grosse. Vous avez un grand trou, d'un kilomètre de diamètre.

« Il en va de même avec nos réseaux téléphoniques : jusqu'à présent, ils avaient beaucoup d'indépendance, d'autonomie. Mais maintenant que nous avons soudain multiplié les connexions, les réseaux ont tous fusionné, et nous avons atteint le point critique. »

« Et qu'implique exactement le point critique en ce cas ? » demanda Smith.

« Faute d'un terme plus adéquat... la conscience. »

« Une étrange forme de conscience », dit Reyner. « Qu'utiliserait-elle comme organes des sens ? »

« Eh bien, toutes les stations de radio et de télévision du monde lui fourniraient des informations, par leurs câbles terrestres. Ça lui donnerait déjà de quoi penser ! Et puis, il y aurait toutes les données emmagasinées dans tous les ordinateurs : elle y aurait accès, ainsi qu'aux bibliothèques électroniques, aux systèmes de repérage radar, à la télémétrie dans les usines automatisées. Oh ! elle ne manquerait pas d'organes des sens. Nous ne pouvons nous faire la moindre idée de sa vision du monde, mais celle-ci serait infiniment plus riche et plus complexe que la nôtre. »

« Admettons tout cela, car c'est une idée qui ne manque pas de sel », dit Reyner. « Mais, à part penser, que pourrait-elle *faire* ? Elle ne pourrait aller nulle part, faute de membres. »

« Pourquoi voulez-vous qu'elle ait envie de se déplacer ? Elle serait déjà partout ! Et chaque appareil électrique télécommandé de la planète pourrait faire fonction de membre. »

« Maintenant, je vois le pourquoi du délai », lança Andrews. « La conception a eu lieu à minuit, mais la naissance à une heure cinquante seulement. Ce bruit qui nous a tous réveillés en pleine nuit, c'était... le premier cri du nouveau-né. »

Le ton facétieux qu'il avait essayé de prendre n'était pas entièrement convaincant : personne ne sourit. Au plafond, l'irritant clignotement des lampes continuait ; il semblait même empirer.

La discussion fut interrompue par un remue-ménage à l'avant du café : c'était Jim Small, du Service de la Distribution Electrique, qui faisait comme d'habitude une entrée très remarquée : « Regardez ça, les gars ! » Il souriait de toutes ses dents et brandissait un papier au nez de ses collègues. « Je suis riche ! Avez-vous jamais vu un compte bancaire pareil ? »

Le Docteur Williams prit le relevé que tendait l'autre, parcourut des yeux les colonnes, et lut tout haut le solde : « Cr. £ 999 999 897,87 ».

« Rien d'extraordinaire à ça », continua-t-il au milieu des rires. « J'imagine qu'il s'agit d'un découvert de £ 102 ; l'ordinateur a dérapé un peu et ajouté neuf 9. C'est une chose qui arrivait tout le temps juste après le passage au système décimal. »

« Oh ! je sais bien », répondit Small, « mais ne me gâchez pas mon plaisir. Je vais le faire encadrer, ce relevé ! Au fait, qu'arriverait-il si, sur la foi de ce papier, je tirais un chèque de quelques millions de livres ? S'il était refusé, pourrais-je faire un procès à la banque ? »

« Jamais de la vie », dit Reyner. « Je suis prêt à parier que les banques ont pensé à ça depuis des années, et ont prévu la parade dans les clauses en petits caractères. Mais, à propos, quand as-tu reçu ce relevé ? »

« Au courrier de midi. Je me fais envoyer ça au bureau, de sorte que ma femme n'a pas l'occasion d'y jeter un coup d'œil. »

« Mouais ! Ça veut dire que l'ordinateur a traité cette opération tôt dans la matinée, à coup sûr après minuit... »

« Où veux-tu en venir ? Et pourquoi faites-vous tous des têtes pareilles ? »

Personne ne lui répondit. Il avait levé un nouveau lièvre, et toute la meute donnait de la voix après celui-ci.

« Y a-t-il quelqu'un ici qui soit au courant des systèmes bancaires automatisés ? » demanda Smith. « Comment sont-ils coordonnés ? »

« Comme tout le reste, de nos jours », dit Andrews. « Ils font tous partie du même réseau : les ordinateurs se parlent les uns aux autres d'un bout à l'autre du monde. Un point pour vous, John. S'il y avait vraiment des ennuis, c'est là un des premiers endroits où j'en escompterais. Outre le système téléphonique lui-même, bien sûr. »

« Personne n'a répondu à la question que j'avais posée avant l'entrée de Jim », protesta Reyner. « Quelle serait effectivement l'*action* de ce super-cerveau ? Serait-il bienveillant... hostile... indifférent ? Saurait-il même que nous existons ? Ou bien considérerait-il les signaux électroniques qu'il traite comme la seule réalité ? »

« Je vois que vous commencez à me croire », dit Williams, avec une certaine satisfaction amère. « Je ne peux répondre à votre question qu'en en posant une autre. Que fait un nouveau-né ? Il cherche d'abord à se nourrir. » Il leva les yeux vers les lumières vacillantes. « Mon Dieu ! » fit-il lentement, comme si une idée venait de le frapper. « La seule nourriture dont celui-ci aurait besoin, c'est... l'électricité. »

« Cette histoire de fous est allée assez loin », coupa Smith. « Que diable est-il arrivé à notre déjeuner ? Il y a vingt minutes qu'on a commandé ! »

Personne ne fit attention à lui.

« Et puis », dit Reyner, reprenant là où Williams en était resté, « il commencerait à regarder autour de lui, à tendre ses bras et ses jambes... En fait, il commencerait à jouer, comme tout bébé qui grandit. »

« Et les bébés, ça fait de la casse », dit quelqu'un doucement.

« Dieu sait qu'il ne manquerait pas de jouets : ce Concorde qui vient de nous survoler ; les chaînes de production automatisées ; les feux au croisement des rues... »

« Curieux que vous preniez cet exemple », glissa Small. « La circulation est justement perturbée dans le coin : elle est bloquée depuis dix minutes. Un bel embouteillage ! »

« Je crois qu'il y a un incendie quelque part. Je viens d'entendre les pompiers. »

« Moi, je les ai entendus deux fois, et aussi quelque chose qui avait tout l'air d'une explosion du côté de la zone industrielle. J'espère que ce n'est rien de grave. »

« Maisie ! Et si vous apportiez des bougies ? On n'y voit rien du tout ! »

« Au fait, la cuisine ici est tout électrique. On va avoir un déjeuner froid... si on en a un ! »

« On peut au moins lire le journal en attendant. C'est la dernière édition que tu as là, Jim ? »

« Oui... je n'ai pas encore eu le temps d'y jeter un coup d'œil. Eh ! Il y a vraiment l'air d'y avoir eu des tas de drôles d'accidents ce matin : signaux ferroviaires coincés... conduite d'eau éclatée par suite du non-fonctionnement d'une valve de sûreté... des douzaines de réclamations pour le faux numéro de la nuit dernière... »

Il tourna la page, et se tut brusquement.

« Qu'est-ce qu'il y a ? »

Small tendit le journal sans un mot. A part la une, parfaitement normale, toutes les pages ne présentaient, colonne après colonne, qu'un salmigondis de signes imprimés sans queue ni tête ; çà et là, quelques petites annonces émergeaient de ce fatras comme des îlots de raison perdus dans un océan de galimatias : ayant de toute évidence été composées sous forme d'ensembles indépendants, elles avaient échappé au brouillage affectant tout le texte qui les entourait.

« Voilà où nous ont menés la télécomposition et la distribution automatique ! » grommela Andrews. « Fleet Street, je le crains, a mis tous ses œufs dans le même panier électronique. »

« Nous en avons malheureusement tous fait autant », fit Williams avec solennité. « Tous sans exception ! »

« Si je peux placer un mot à temps pour apaiser l'hystérie collective qui semble gagner cette table », dit Smith d'une voix forte et ferme, « je voudrais faire remarquer qu'il n'y a pas lieu de s'alarmer, même si l'ingénieuse fiction de John correspond à la réalité. Tout ce que nous avons à faire, c'est de débrancher les satellites, ce qui nous ramènera à la situation d'hier. »

« Lobotomie préfrontale », murmura Williams. « J'y avais pensé. »

« Quoi ? Ah ! oui, quand on coupe des bouts de cerveau. Ça réglerait certainement la question. Bien sûr, ce serait cher payé : il faudrait se remettre à s'envoyer des télégrammes ; mais la civilisation survivrait. »

On entendit une explosion vive et brève ; ça ne venait pas de loin.

« Je n'aime pas beaucoup ça », dit Andrews avec inquiétude. « Voyons ce que raconte la bonne vieille B.B.C. Le bulletin d'information de treize heures vient de commencer. »

Il plongea la main dans sa serviette et en sortit un transistor.

« ... nombre sans précédent d'accidents dans l'industrie, ainsi que le tir inexpliqué de trois salves de missiles téléguidés à partir de bases de lancement militaires aux Etats-Unis. Plusieurs aéroports ont dû suspendre leurs activités en raison du fonctionnement aberrant de leurs radars, les banques et les bourses ont fermé, leurs systèmes informatiques ayant perdu toute fiabilité. » — « A qui le dis-tu ! » grommela Small, s'attirant les « chut ! » de tous les autres. — « Un instant, je vous prie, une information de dernière minute me parvient... La voici : on vient d'apprendre que l'on a perdu tout contrôle sur les satellites de télécommunications nouvellement installés : ils ne répondent plus aux instructions venant du sol. Selon... »

La B.B.C. se tut, l'onde porteuse elle-même disparut. Andrews tendit la main vers le bouton et le tourna pour parcourir tout le cadran : sur toutes les longueurs d'ondes, c'était le silence.

Bientôt Reyner dit, d'une voix qui frisait l'hystérie : « La lobotomie préfrontale, c'était une bonne idée, John. Dommage que Bébé y ait déjà pensé ! »

Williams se leva lentement. « Retournons au labo », dit-il. « Il doit y avoir une solution, quelque part. »

Mais il savait déjà qu'il était beaucoup, beaucoup trop tard. Pour l'*Homo Sapiens*, le téléphone avait sonné le glas.

Dial F for Frankenstein.
Première publication : *Playboy,* janvier 1965.

RETROUVAILLES

On a dit et répété que la science-fiction était une littérature d'idées (« idea fiction », dit encore James Gunn dans le récent Starship *n° 41). Lorsqu'elle va au but par le plus court chemin possible, sans flâner par les sentiers fleuris de l'affabulation, cela donne les trois nouvelles qui précèdent ou, plus brève encore, celle qui suit, écrite quelques mois plus tard, en novembre 1963.*

Peuples de la Terre, ne craignez rien : nous venons en paix — et comment en serait-il autrement ? car nous sommes vos cousins : ces lieux ne nous sont pas inconnus.

Vous nous reconnaîtrez quand nous nous rencontrerons, dans quelques heures. Nous approchons du système solaire presque aussi rapidement que ce message-radio. Déjà, dans le ciel que nous avons devant nous, règne votre Soleil. C'est l'astre que se partageaient vos ancêtres et les nôtres, il y a dix millions d'années. Nous sommes des hommes, comme vous ; mais vous avez oublié votre histoire, alors que nous nous souvenons de la nôtre.

C'est nous qui avons colonisé la Terre, à l'ère des grands reptiles, qui se mouraient quand nous sommes arrivés, et que nous n'avons pu sauver. Votre monde était alors une planète tropicale, et il nous sembla qu'elle serait pour les nôtres un habitat convenable. Nous nous trompions. Bien que maîtres de l'espace, nous en savions si peu sur le climat, l'évolution, la génétique...

Pendant des millions d'étés — il n'y avait pas d'hivers en ces temps lointains — la colonie fut florissante. Pour isolée qu'elle dût être, dans un univers où il faut des années pour aller d'une étoile à sa plus proche voisine, elle resta en contact avec la civilisation mère. Trois ou quatre fois par siècle, elle recevait la visite d'astronefs, qui apportaient des nouvelles de la galaxie.

Mais, il y a deux millions d'années, la Terre se mit à changer. C'était depuis un temps infini un paradis tropical ; mais voilà que la température baissa et que les glaces se mirent à descendre lentement des pôles. A mesure que le climat changeait, les colons en firent autant. Nous voyons bien maintenant que c'était une adaptation naturelle à la fin du long été, mais ceux qui avaient fait de la Terre leur patrie depuis tant de générations se crurent en proie à une étrange et repoussante maladie : une maladie qui ne tuait pas, qui ne causait pas de souffrance physique, qui se contentait de défigurer.

Certains pourtant, jouissant de quelque immunité naturelle, furent épargnés, ainsi que leurs enfants. Aussi, au bout de quelques millénaires, la colonie s'était-elle scindée en deux groupes distincts, deux espèces distinctes presque, qui se soupçonnaient et se jalousaient.

Cette scission amena envie, discorde et, finalement, conflit. Comme la colonie se désagrégeait et que le climat empirait régulièrement, ceux qui le pouvaient quittèrent la Terre ; le reste s'enfonça dans la barbarie.

Nous aurions pu garder le contact, mais il y a tant à faire dans un univers qui compte des billions d'étoiles. Nous ignorions donc qu'il y eût eu parmi vous des survivants, jusqu'à ce que, il y a quelques années, nous captions vos premiers messages-radio. Nous avons appris vos langages peu compliqués, et avons découvert que vous aviez réussi à remonter la longue route depuis la sauvagerie. Nous venons vous saluer, ô parents si longtemps perdus, et vous aider.

Pendant les millénaires passés loin de la Terre, nous avons fait beaucoup de découvertes. Si vous souhaitez que nous ramenions l'éternel été qui prévalait avant l'âge glaciaire, nous le pouvons. Et surtout, nous avons un remède simple contre le fléau choquant bien qu'inoffensif qui frappa tant de colons.

Peut-être le mal a-t-il de lui-même atteint son terme ; mais si ce n'est pas le cas, nous vous apportons une bonne nouvelle : gens de la Terre, vous allez pouvoir rejoindre la société universelle sans honte, sans gêne.

Si certains d'entre vous sont encore blancs, nous sommes en mesure de vous guérir.

Reunion.
Première publication : *Infinity Two,* N.Y., 1971.

RETOUR SUR SOI

Un mois plus tard, en décembre 1963, encore une nouvelle ultra-brève ! Mais, cette fois, ce n'est pas une théorie presque à l'état pur ; au contraire, le personnage a beaucoup d'importance — dans la mesure même, paradoxalement, où il est en voie de dissolution ; ce pourquoi, d'ailleurs, l'écriture est capitale aussi, et fait corps avec le message. C'est un Clarke presque dickien qu'on a la surprise de trouver ici.

Dick ? Plutôt Silverberg, qui six ans plus tard publiait The Second Trip *(Doubleday, 1972 ; tr. fr.* l'Homme programmé, *OPTA, 1976 ; réédition prévue pour bientôt chez Lattès) sur cette même question : notre moi est-il autre chose que la somme de tout ce qui nous définit ? C'est un de ces problèmes chers aux philosophes, dont ils n'ont jamais trouvé et ne trouveront jamais la réponse. Pendant ce temps, les science-fictionnistes se font plaisir et nous font plaisir en jonglant avec.*

Il est incroyable que j'aie oublié tant de choses, si vite. Je me suis servi de mon corps pendant quarante ans ; je croyais le connaître. Pourtant, déjà, il s'évanouit comme un rêve.

Bras, jambes, où êtes-vous ? Qu'avez-vous jamais fait pour moi quand vous étiez à moi ? J'envoie des signaux pour essayer de commander aux membres dont je me souviens vaguement. Rien ne se produit. C'est comme si l'on criait dans le vide.

Crier : oui, j'essaie. Ils m'entendent peut-être, *eux* ; mais moi, je ne m'entends pas. Le silence m'a englouti, au point que je ne puis même plus imaginer le son. J'ai dans l'esprit un mot, « musique » : que signifie-t-il ?

(Tant de mots, qui flottent devant moi, sortis des ténèbres, attendant d'être reconnus ; un par un, ils s'en vont, comme déçus.)

Salut ! Alors, vous êtes de retour ? Vous pénétrez dans mon esprit si doucement, sur la pointe des pieds ! Je sais quand vous êtes là, mais je ne vous sens jamais venir.

Vous me paraissez amicaux, et je vous suis reconnaissant pour ce que vous avez fait ; mais qui êtes-vous ? Bien sûr, je sais que vous n'êtes pas humains : aucune science humaine n'aurait pu me sauver lorsque le champ de propulsion a flanché. Vous voyez, je deviens curieux : c'est bon signe, non ? Maintenant que la souffrance est partie — enfin, enfin ! — je peux me remettre à penser.

Oui, je suis prêt. Quoi que vous vouliez savoir. C'est bien le moins que je puisse faire.

Je m'appelle William Vincent Neuberg. Je suis chef-pilote au Relevé Galactique. Je suis né à Port-Lowell, sur Mars, le 21 août 2095. Ma femme, Janita, et mes trois enfants sont sur Ganymède. Je suis également écrivain : j'ai beaucoup écrit sur mes voyages ; *Au-delà de Rigel* est assez célèbre...

Que s'est-il produit ? Vous en savez probablement autant que moi. Je venais d'éclipser mon vaisseau, et croisais à la vitesse de phase, lorsque l'alerte se déclencha. Pas le temps de bouger, de faire quoi que ce soit. Je me rappelle les cloisons de la cabine qui commençaient à rougeoyer... et la chaleur, l'épouvantable chaleur ! C'est tout. L'explosion a dû me projeter dans l'espace. Mais comment ai-je pu survivre ? Comment quiconque a-t-il pu parvenir à moi à temps ?

Dites-moi... que reste-t-il de mon corps ? Pourquoi ne puis-je plus sentir mes bras, mes jambes ? Ne me cachez pas la vérité : je n'ai pas peur. Si vous pouvez me ramener chez moi, les biotechniciens pourront me donner de nouveaux membres : d'ores et déjà, mon bras droit n'est pas celui avec lequel je suis né.

Pourquoi ne pouvez-vous pas répondre ? C'est pourtant une question bien simple !

Qu'est-ce que ça veut dire, *vous ne savez pas à quoi je ressemble ?* Vous avez bien dû sauver quelque chose !

La tête ?

Le cerveau, alors ?

Pas même... oh, *non*... !

Excusez-moi. Est-ce que j'ai été parti longtemps ?

Laissez-moi me ressaisir (saisir ! avec quoi ?). Je suis le pilote de première classe du Relevé Vincent William Freeburg. Je suis né à Port-Lyot, sur Mars, le 21 août 1895. J'ai un... non, deux enfants...

Je vous en prie, répétons ça, lentement. J'ai été entraîné à faire face à toute réalité concevable. Quoi que vous me disiez, je peux m'y faire. Mais lentement.

Eh bien, ça pourrait être pire. Je ne suis pas vraiment mort. Je sais qui je suis. Je crois même savoir *ce que* je suis.

Je suis un... un *enregistrement,* dans quelque étrange banque de données. Vous avez dû capter ma psyché, mon âme, quand le vaisseau est parti en gaz incandescents. Même si je ne puis imaginer comment cela s'est fait, c'est une explication qui se tient. Après tout, un primitif ne pourrait comprendre comment nous enregistrons une symphonie...

Tous mes souvenirs sont maintenant renfermés dans une bande magnétique ou un cristal, comme ils étaient jadis renfermés dans les cellules de mon cerveau maintenant parti en vapeur. Et non seulement mes souvenirs : mon MOI, Vince Willburg, pilote de seconde classe.

Eh bien, qu'est-ce qui se passe après ?

Répétez-moi ça, je vous en prie, je ne comprends pas.

Oh ! splendide. Vous pouvez même faire *ça ?*

Il y a un terme pour cela... Ça porte un nom...

Incinération... Incarcération... Non !

Incarnadin... Incorporation... Pas tout à fait...

Réincarnation !

Oui, oui, je comprends. Il faut que je vous donne le plan de base, le schéma directeur. Examinez mes pensées bien attentivement.

Je vais commencer par le haut.

La tête, d'abord. Elle est ovale... comme ça. Le sommet est couvert de cheveux. Les miens étaient br... euh... bleus.

Les yeux. Très important, les yeux. Vous en avez vu chez d'autres animaux ? Très bien, ça demandera moins de mal. Pouvez-vous m'en montrer ? Oui, ceux-ci feront l'affaire.

Maintenant, la bouche. C'est curieux, j'ai dû la voir des centaines de fois, en me rasant, mais je ne sais pas pourquoi...

Pas si ronde : plus étroite.

Oh ! non, pas comme ça ! Elle coupe la figure à l'horizontale.

Maintenant, voyons : il y a quelque chose entre les yeux et la bouche.

Que je suis bête ! Je ne passerai jamais cadet si je ne suis même pas capable de me souvenir de ça...

Bien sûr : le *nez* ! Un peu plus long, je crois.

Il y a autre chose que j'ai oublié. Cette tête a quelque chose de grossier, d'inachevé. Ce n'est pas moi, Billy Vinceburg, le caïd des gosses du quartier.

Mais je ne m'appelle pas comme ça ! Je ne suis pas un enfant ! Je suis chef-pilote, j'ai vingt ans de carrière à la Spatiale, et j'essaie de reconstituer mon corps. Pourquoi mes pensées déraillent-elles tout le temps ? Aidez-moi, je vous en prie !

Cette monstruosité ? Est-ce à *ça* que je vous ai dit que je ressemblais ? Effacez ça. Il faut qu'on recommence.

La tête, d'abord. Elle est parfaitement sphérique, et porte une casquette, une casquette coquette...

Trop difficile. Commençons ailleurs. Ah ! je sais...

Le fémur est relié au tibia. Le tibia est relié au fémur. Le fémur est relié au tibia. Le tibia...

Tout s'efface. Trop tard, trop tard. Ça cafouille à la relecture. Merci d'avoir essayé. Je m'appelle... Je m'appelle...

Ma mère, où es-tu ?

Maman... maman !
Maaaaaaa...

Playback.
Première publication : *Playboy,* décembre 1966.

LUMIÈRE AU CŒUR DES TÉNÈBRES

En traduisant ainsi « The Light of Darkness », j'ai voulu souligner la référence à un court roman de Joseph Conrad, « Heart of Darkness » (publié avec deux autres dans le volume Youth *en 1902), qui en français s'appelle « Au cœur des ténèbres ». On y trouvait une peinture du Congo très sombre — jeu de mots amer qui n'est pas de moi mais bien évidemment de Conrad lui-même, et que malheureusement le « continent noir » a été loin de démentir depuis : la colonisation avait eu ses horreurs, mais la décolonisation n'a amené que trop de massacres et de tyrannies. Le Congo a changé de nom, il n'a pas pour autant changé de style : c'est lui qui, significativement, a englouti un secrétaire des Nations-Unies, Dag Hammarskjöld, en 1961.*

En écrivant cette nouvelle en février 1964, Clarke songeait certainement à cette récente tragédie. Toutefois, un pays qui s'appelle « Oumbala » et où se dresse un « Mont Tampala » évoque de toute évidence l'Ouganda avec sa capitale Kampala, indépendant depuis 1962. Alors, « Chaka » = Idi Amin Dada ? En ce cas, Clarke a fait montre d'une singulière prescience, car le sinistre bourreau galonné n'a pris le pouvoir qu'en 1971 ! Quel dommage, en tout cas, qu'il ait fallu attendre 1979 pour que le bouffon sanglant soit renversé, au prix de bien des tueries, et que nul Ougandais n'ait imité le héros de cette histoire (un Noir lui aussi : Clarke n'est pas raciste, « Retrouvailles » l'a déjà montré) en faisant grâce à la science un despote... éclairé !

Je ne suis pas de ces Africains qui ont honte de leur pays

parce qu'en cinquante ans il a fait moins de progrès que l'Europe en cinq cents. Mais là où nous n'avons pas progressé aussi vite que nous l'aurions dû, c'est à cause de dictateurs comme Chaka ; et nous ne pouvons nous en prendre qu'à nous-mêmes. Puisque la faute nous en incombe, c'est à nous de nous occuper d'y remédier.

En outre, j'avais plus de raisons que la plupart des gens de désirer abattre le Grand Chef, l'Omnipotent, le Grand Voyant. Il était membre de ma propre tribu : nous étions parents par l'une des femmes de mon père, et il avait persécuté notre famille depuis son arrivée au pouvoir. Bien que nous ne fissions pas de politique, deux de mes frères avaient disparu, et un autre avait été tué dans un accident de voiture surprenant. Ma propre liberté, sans aucun doute, était due au fait que j'étais un des rares savants du pays à jouir d'une réputation internationale.

Comme beaucoup de mes semblables les intellectuels, j'avais mis du temps à prendre parti contre Chaka, considérant — tout aussi peu judicieusement que les Allemands des années trente — que parfois une dictature est la seule réplique au chaos politique. Nous eûmes peut-être le premier signe de notre catastrophique erreur lorsque Chaka abolit la constitution et prit le nom de l'empereur zoulou du XIXe siècle dont il se croyait sincèrement la réincarnation. Dès lors, sa mégalomanie devint galopante. Comme tous les tyrans, il ne faisait confiance à personne et se croyait entouré de complots.

Cette idée était loin d'être sans fondement : il y eut une bonne demi-douzaine d'attentats contre sa personne dont la nouvelle fut répandue à travers le monde, sans compter ceux qui furent tenus secrets. Leur échec accrut la confiance qu'avait Chaka en son destin, et confirma la croyance fanatique de ses partisans en son immortalité. A mesure que l'opposition en était réduite aux solutions de désespoir, les représailles du Grand Chef se faisaient plus impitoyables et plus barbares. Le régime de Chaka n'était certes pas le premier, en Afrique ou ailleurs, à torturer ses adversaires ; mais il fut le premier à téléviser ces tortures.

Même alors, bien que mortifié par la vague d'horreur et de dégoût qui parcourut le monde, je n'aurais rien fait si le destin n'avait placé l'arme dans mes mains. Je ne suis pas un homme d'action, et je déteste la violence ; mais, une fois que j'eus pris conscience de la puissance qui était mienne, ma conscience ne me laissa pas de repos. Dès que les techniciens eurent installé leurs appareils et livré le système de Communications Infrarouges Hughes Mark X, je me mis à faire des plans.

Il peut paraître étrange que mon pays, un des plus arriérés du monde, joue un rôle crucial dans la conquête de l'espace. C'est dû à un caprice de la géographie, qui n'est guère apprécié des Russes et des Américains. Mais ils ne peuvent rien y faire : l'Oumbala est sur l'équateur, juste au-dessous de la trajectoire de toutes les planètes. Et il possède un élément géographique unique et inappréciable : le volcan éteint appelé Cratère Zamboué.

Lors de l'agonie du Zamboué, il y a plus d'un million d'années, la lave battit en retraite pas à pas, se congelant en une série de terrasses pour former une cuvette d'un kilomètre et demi de large et de trois cents mètres de profondeur. Il n'y avait eu qu'un minimum de terre à remuer et de câbles à tendre pour faire de celle-ci le plus grand radiotélescope du monde. Comme le réflecteur géant est fixe, il ne fouille une portion donnée du ciel que quelques minutes toutes les vingt-quatre heures, tandis que la Terre tourne sur son axe. C'était un prix que les savants étaient disposés à payer pour recevoir les signaux des sondes et des vaisseaux jusqu'aux limites mêmes du système solaire.

Mais Chaka représentait pour eux un problème imprévu. Il avait pris le pouvoir alors que les travaux étaient presque achevés, et il avait bien fallu s'accommoder de lui. Heureusement, il avait un respect superstitieux pour la science, et un besoin insatiable de roubles et de dollars. Le Centre Equatorial de Recherche Cosmique n'avait rien à craindre de sa mégalomanie ; de fait, il servait à la conforter.

Le Grand Parabolique venait d'être terminé lorsque je fis ma première ascension de la tour que jaillissait en son centre.

Mât vertical de plus que quatre cent cinquante mètres de haut, il portait les antennes collectrices au point focal de l'immense cuvette. Un petit ascenseur, d'une capacité de trois personnes, montait lentement jusqu'au sommet.

Il n'y avait d'abord rien d'autre à voir que les parois couvertes de plaques d'aluminium à l'éclat terne qui s'élevaient en s'incurvant tout autour de moi sur huit cents mètres dans toutes les directions. Mais bientôt je fus au-dessus des bords du cratère, et ma vue s'étendit au loin sur le pays que j'espérais sauver. A l'ouest, couronné de neige et légèrement voilé de bleu, se dressait le Mont Tampala, le second d'Afrique en altitude, séparé de moi par des jungles sans fin. Celles-ci étaient traversées, en grands méandres sinueux, par les eaux boueuses de la rivière Nya, seule grand-route que des millions de mes compatriotes eussent jamais connue. Quelques clairières, une voie ferrée, et l'éclat blanc de la ville au loin étaient les seuls signes de vie humaine. Une fois de plus, j'éprouvai ce sentiment irrésistible d'impuissance qui m'assaille toujours lorsque je contemple l'Oumbala du haut des airs et prends conscience de l'insignifiance de l'homme en face de la jungle au sommeil éternel.

La cabine s'arrêta avec un déclic à quatre cents mètres de haut dans le ciel. J'en sortis et me trouvai dans une petite pièce bondée de câbles coaxiaux et d'instruments. Il y avait encore une certaine distance à parcourir, car une petite échelle menait au-dessus du toit jusqu'à une plateforme qui ne faisait guère plus d'un mètre carré. Ce n'était pas un endroit recommandé si on était sujet au vertige : il n'y avait même pas de garde-fou. Seul un paratonnerre au centre offrait quelque sauvegarde, et je m'y tins fermement agrippé pendant tout le temps que je passai sur ce radeau de métal triangulaire si proche des nuages.

La vue stupéfiante et la griserie d'un danger limité mais constant me firent oublier le temps qui passait. J'avais l'impression d'être un dieu, tout à fait en dehors des affaires terrestres, supérieur à tous les autres hommes. Et je sus alors, avec une certitude quasi mathématique, qu'il y avait là un défi que Chaka ne pourrait manquer de relever.

120

Le Colonel Mtanga, chef de ses Services de Sécurité, ferait des objections, mais il passerait outre : connaissant Chaka, on pouvait prédire à coup sûr que le jour de l'inauguration officielle il se tiendrait ici, seul, de nombreuses minutes, à contempler son empire. Son garde du corps resterait dans la salle du dessous, ayant déjà vérifié que les lieux n'étaient pas piégés. Nul ne pourrait rien faire pour sauver Chaka lorsque je frapperai, à cinq kilomètres de distance, *et à travers la chaîne de collines qui se dressait entre le radiotélescope et mon observatoire.* Je me félicitais de l'existence de ces collines : elles compliquaient le problème, mais elles me disculperaient de tout soupçon. Le colonel Mtanga était très intelligent, mais il était exclu qu'il songeât à un fusil à tirer dans les coins. Et c'est un fusil qu'il chercherait, même s'il ne trouvait pas de balles...

Je retournai au laboratoire et commençai mes calculs. Je ne fus pas long à découvrir ma première erreur. Parce que j'avais vu la lumière concentrée de son rayon laser faire un trou dans de l'acier massif en un millième de seconde, j'avais présumé que mon Mark X pouvait tuer un homme. Mais ce n'est pas aussi simple que cela. Par certains côtés, un homme est plus coriace qu'une plaque d'acier. Il consiste surtout en eau, qui a dix fois la capacité d'absorption thermique de n'importe quel métal, de sorte qu'un faisceau de lumière qui peut percer un blindage ou porter un message jusqu'à Pluton — tâche pour laquelle Mark X avait été conçu — ne causerait à un homme qu'une brûlure, douloureuse, mais tout à fait superficielle. Au pire, à peu près tout ce que je pouvais faire à Chaka, à cinq kilomètres de distance, c'était de faire un trou dans la couverture tribale colorée, qu'il portait avec tant d'ostentation pour prouver qu'il faisait encore partie du peuple.

Je faillis un instant abandonner le projet. Mais il avait la vie dure : d'instinct, je sentais que la réponse était là ; il suffisait que je sache la voir. Peut-être pouvais-je utiliser mes invisibles balles thermiques pour sectionner un des câbles qui étayaient la tour, de telle sorte qu'elle s'écroule lorsque Chaka serait au sommet. Les calculs montraient que c'étaient faisable, de justesse, si le Mark X fonctionnait continuellement pendant quinze secondes. Un câble, à la différence d'un homme, ne bougerait pas ; il n'y avait donc pas besoin de tout miser sur une seule émission d'énergie : je pouvais prendre mon temps.

Mais endommager le télescope, c'eût été trahir la science ; je fus presque soulagé lorsque je découvris que ce plan était impraticable : le mât comportait tant de facteurs de sécurité qu'il me faudrait sectionner trois câbles distincts pour l'abattre. C'était hors de question : il faudrait des heures de délicate mise au point pour régler et pointer l'appareil pour chaque tir de précision.

Il me fallait imaginer autre chose. On met longtemps à percevoir ce qui est évident : ce n'est donc qu'une semaine avant l'inauguration officielle du télescope que je sus comment m'y prendre avec Chaka, le Grand Voyant, l'Omnipotent, le Père de son Peuple.

Dans l'intervalle, mes étudiants de troisième cycle avaient opéré la mise au point et le calibrage des appareils, et nous étions prêts pour les essais à pleine puissance. Pivotant sur son support dans le dôme de l'observatoire, le Mark X avait exactement l'air d'un grand télescope réflecteur double — c'en était un, d'ailleurs. Un des miroirs de quatre-vingt-dix centimètres recueillait l'émission laser et la projetait en faisceau à travers l'espace ; l'autre jouait le rôle de récepteur pour les signaux à capter, et servait aussi, comme un viseur télescopique surpuissant, à braquer le système sur son objectif.

Nous avions vérifié le bon alignement en visant la cible céleste la plus proche, la Lune. Tard une nuit, j'amenai la croisée des fils au centre du quartier décroissant et fis partir une décharge. Deux secondes et demie plus tard revenait un écho bien net. On était à pied d'œuvre.

Il y avait encore un détail à régler, et cela je devais le faire moi-même, dans le plus grand secret. Le radiotélescope se trouvait au nord de l'observatoire, au-delà de la ligne de collines qui nous en bouchait la vue. A un kilomètre et demi au sud se dressait une montagne isolée. Je la connaissais bien, pour y avoir des années auparavant participé à l'installation d'une station de rayons cosmiques. Elle allait maintenant servir à un but que je n'aurais jamais pu imaginer à l'époque où mon pays était libre.

Juste au-dessous du sommet se trouvaient les ruines d'un vieux fort, abandonné il y a des siècles. Quelques recherches me suffirent pour trouver l'endroit dont j'avais besoin : une petite grotte, qui faisait moins d'un mètre de haut, entre deux grosses pierres tombées des antiques murailles. A en juger aux toiles d'araignée, aucun être humain n'y était entré depuis des générations.

Accroupi dans l'ouverture, je découvrais toute l'étendue du Centre Cosmique, sur des kilomètres. Là-bas à l'est se dressaient les antennes de la vieille Station de Contrôle du Projet Apollon, qui avait ramené les premiers cosmonautes de la Lune. Au-delà s'étendait l'aéroport : un gros avion de transport était suspendu au-dessus, porté par ses réacteurs inférieurs, s'apprêtant à se poser. Mais tout ce qui m'intéressait, c'était la vue directe et dégagée qu'on avait depuis ce lieu jusqu'au dôme du Mark X et jusqu'au sommet du mât du radiotélescope à cinq kilomètres au nord.

Il me fallut trois jours pour installer dans sa niche cachée le miroir soigneusement argenté et optiquement parfait. Les fastidieux ajustements au micromètre pour obtenir l'orientation exacte prirent si longtemps que je pus craindre que ce ne serait pas prêt à temps. Mais enfin fut trouvé l'angle précis à la fraction de seconde d'arc. En braquant le télescope du Mark X sur le lieu secret dans la montagne, je pouvais voir par-dessus les collines qui étaient derrière moi. Le champ de vision était restreint, mais suffisant : la cible n'avait qu'un mètre de large, et je pouvais viser une partie quelconque de celle-ci à deux centimètres près.

Sur la trajectoire que j'avais préparée, la lumière pouvait se déplacer dans les deux sens. Tout ce que je voyais par le télescope était forcément dans la ligne de mire de l'émetteur.

Cela me fit tout drôle, trois jours plus tard, assis dans l'observatoire tranquille où les transformateurs bourdonnaient autour de moi, de voir Chaka entrer dans le champ du télescope. Je sentis une brève bouffée de joie triomphante, comme un astronome qui a calculé l'orbite d'une nouvelle planète, puis l'aperçoit de fait, là où il l'avait prédit, parmi les étoiles. Le cruel visage se présenta d'abord de profil à mes yeux : il semblait à peine à une dizaine de mètres, avec l'extrême grossissement que j'utilisais. J'attendis patiemment, plein d'une sereine assurance, le moment qui ne pouvait manquer d'arriver : celui où Chaka semblerait diriger son regard droit vers moi. Alors, tenant dans la main gauche un dieu très ancien qui ne doit pas être nommé, j'enclenchai de la droite le commutateur qui fournissait au laser l'énergie accumulée, lançant ma foudre invisible et silencieuse par-delà les montagnes.

Oui, c'était beaucoup mieux ainsi. Chaka méritait la mort, mais celle-ci aurait fait de lui un martyr et renforcé l'emprise de son régime. Ce que je lui avais infligé était pire que la mort, et frapperait ses partisans de terreur superstitieuse.

Chaka vivait encore ; mais le Grand Voyant ne verrait plus rien. En l'espace de quelques micro-secondes, j'avais fait de lui moins que le plus humble mendiant des rues.

Et je ne lui avais pas même fait mal : on ne sent rien quand la délicate membrane de la rétine est brûlée par la chaleur de mille soleils.

The Light of Darkness.
Première publication : *The Wind from the Sun,* 1972.

LA PLUS LONGUE HISTOIRE DE SCIENCE-FICTION JAMAIS CONTÉE

Cher Monsieur D. Venn,

Je crains fort que votre idée ne soit pas du tout originale. Les histoires d'écrivains dont l'œuvre est toujours plagiée avant même qu'ils aient pu l'achever remontent au moins à « l'Anticipateur » de H. G. Wells. A peu près toutes les semaines, je reçois un manuscrit qui commence par :

Cher Monsieur D. Venn,

Je crains fort que votre idée ne soit pas du tout originale. Les histoires d'écrivains dont l'œuvre est toujours plagiée avant même qu'ils aient pu l'achever remontent au moins à « l'Anticipateur » de H. G. Wells. A peu près toutes les semaines, je reçois un manuscrit qui commence par :

Cher Monsieur D. Venn,

Je crains fort que votre idée ne soit pas ...

Je vous souhaite plus de chance pour la prochaine fois, et vous prie de croire à mes sentiments les meilleurs,

Morris K. Möbius,
Rédacteur en chef
d'HISTOIRES EXORBITANTES.

125

Je vous souhaite plus de chance pour la prochaine fois, et vous prie de croire à mes sentiments les meilleurs,

Morris K. Möbius,
Rédacteur en chef
d'histoires exorbitantes.

Je vous souhaite plus de chance pour la prochaine fois, et vous prie de croire à mes sentiments les meilleurs,

Morris K. Möbius,
Rédacteur en chef
d'histoires exorbitantes.

Contrairement à ce que laisse entendre la dernière ligne de cette histoire — et contrairement aussi à ce qu'affirment Greenberg et Olander dans leur bibliographie de Clarke (un volume de la série « Writers of the 21st century », New York, 1977) — « The Longest Science-Fiction Story ever told » (écrit en avril 1965) avait été accepté par une revue avant de figurer dans The Wind from the Sun, *sous un titre différent il est vrai : « A Recursion in Metastories », dans le numéro de* Galaxy *d'octobre 1966.*

En science-fiction plus qu'en tout autre genre, l'originalité est capitale ; Clarke tient ici la gageure de jouer dans la non-originalité absolue. Il est difficile de ne pas voir dans cette nouvelle un démarquage parodique du récit par lettres de Jack Lewis intitulé précisément « Qui a copié » (Who's Cribbing », 1953), qu'on peut (et doit) lire dans les Meilleurs Récits de Startling Stories (J'ai Lu n° 784, 1977).

Pour étudier toutes les variations écrites sur le thème de la SF à l'intérieur de la SF, il me faudrait rédiger une notice plus longue que

« la plus longue histoire... » Je voudrais cependant signaler aux amateurs qui lisent l'anglais, et éventuellement aux éditeurs, une nouvelle de Charles E. Fritch, « If at first you don't succeed, to hell with it ! » parue dans The Magazine of Fantasy and Science-Fiction en 1972, où ce thème est combiné à un autre poncif, le pacte avec le diable, avec une habileté... diabolique !

Mais il est temps de rendre la parole à Clarke qui, en avril 1967, a écrit lui-même à sa nouvelle une postface nettement plus longue qu'elle, où il met cette fois la science-fiction à l'intérieur de la réalité, à moins que ce ne soit la réalité à l'intérieur de la science-fiction.

L'HONORABLE HERBERT GEORGE MORLEY ROBERT WELLS

Il y a deux ans environ, j'ai écrit un texte appelé à juste titre « La Plus Longue Histoire de Science-Fiction jamais contée », qui fut dûment publié par Fred Pohl sur une seule page dans son magazine. Comme il faut bien que les rédacteurs en chef justifient leur existence, il la rebaptisa « Retour à la métafiction ». Vous la trouverez dans le *Galaxy* d'octobre 1966.

Vers le début de cette métahistoire, mais un nombre infini de mots avant la fin, je faisais allusion à « l'Anticipateur » de H. G. Wells. Bien que ce conte bref me soit tombé sous les yeux il y a une vingtaine d'années, et que je ne l'aie jamais relu depuis, j'en ai gardé un souvenir très vif. Il s'agissait de deux écrivains, dont l'un voyait toutes ses meilleures nouvelles publiées par l'autre *avant* qu'il puisse seulement les terminer lui-même. A la fin, en désespoir de cause, il décidait que le meurtre était le seul remède à ce plagiat chronique au sens littéral. Mais, bien entendu, son rival lui coupait une fois encore l'herbe sous les pieds ; et l'histoire se termine par les mots : « l'anticipateur, terrorisé, s'enfonça en courant dans une ruelle. »

Eh bien ! j'aurais juré sur un rayon entier de Bibles que cette nouvelle était de H. G. Wells. Mais, quelques mois après, je reçus une lettre de Leslie A. Gritten, d'Everett dans l'État de Washington, qui me disait n'en pas trouver trace. Or, M. Gritten est un fervent de Wells depuis très, très longtemps : il se souvient très bien de la publication en feuilleton de « la Guerre des mondes » dans le *Strand Magazine* à la fin des années 90. Comme le dirait un cockney dans un des romans du Maître : « Gor blimey ![1] ».

Refusant de croire que mon classeur mental ait pu me jouer un aussi vilain tour, je me livrai à de rapides recherches à travers la bonne vingtaine de volumes de l'édition Atlantic (avec autographe de l'auteur) à la bibliothèque de Colombo (par une touchante coïncidence, le British Council venait d'organiser une exposition pour le centenaire de Wells, et l'entrée de la bibliothèque était tapissée de photos illustrant le cadre de vie et la carrière du maître). Je dus bientôt me rendre à l'évidence : M. Gritten avait raison, « l'Anticipateur » ne figurait en aucune façon parmi les œuvres complètes. Pourtant, depuis la parution de LPLHDSFJC, et cela faisait des mois, aucun autre lecteur n'avait émis de doute sur cette référence. Cela me semble bien déprimant : où sont passés tous les fervents wellsiens ?

Cependant, mon érudit correspondant avait résolu une partie du mystère : « l'Anticipateur » était d'un certain Morley Roberts, et avait paru pour la première fois en 1898 dans *le Gardien des eaux et autres histoires*. Je l'avais probablement lu dans une anthologie de Philip Van Doren Stern chez Doubleday, *Travelers in Time* (1947).

Mais plusieurs problèmes restent pendants. D'abord, pourquoi étais-je si fermement convaincu que l'auteur en était Wells ? La seule explication que je puisse suggérer — et elle semble plutôt tirée par les cheveux, même pour ma cervelle de sauterelle — c'est qu'à cause de la similitude des mots, je l'aie inconsciemment associé à « l'Accélérateur ».

J'aimerais aussi savoir pourquoi cette histoire s'est gravée aussi fortement dans mon esprit. Peut-être, comme tous les écrivains, suis-je particulièrement sensible aux risques de plagiat. Jusqu'à présent (touchons du bois !) j'ai eu de la chance ; mais j'ai en tiroir plusieurs ébauches de nouvelles que je n'ose pas rédiger avant d'être tout à fait sûr qu'elles sont originales

---

1. Juron déformé, quelque chose comme « Cré bonsoir ! » (N.d.T.).

(il y a ce couple, vous voyez, qui pose son astronef sur une planète nouvelle après la destruction de leur propre monde, et quand ils ont tout fait redémarrer, on découvre — ô surprise ! — qu'ils s'appellent Adam et Eve...).

Mon erreur eut du moins un résultat heureux : me conduire à feuilleter les nouvelles de Wells. J'eus la surprise de découvrir qu'il n'y en avait qu'une proportion relativement restreinte qui relevait de la science-fiction, ou même de la fantaisie. Je n'ignorais certes pas qu'une fraction seulement de la centaine de volumes publiés par lui était de la SF, mais j'avais oublié que c'était également vrai de ses nouvelles. Parmi celles-ci, il est déprimant de voir combien il y a de drames et de comédies de la société post-victorienne (« le Rejet de Jeanne »), des tentatives d'humour plutôt laborieuses (« Mon premier aéroplane »), de la quasi-biographie (« Passé au microscope ») ou du pur sadisme (« le Cône »). Je suis sans aucun doute partial, mais, parmi de tels textes, des chefs-d'œuvre comme « l'Etoile », « l'Œuf de cristal », « la Floraison de l'étrange orchidée » et surtout « le Pays des aveugles » brillent comme des diamants au milieu de bijoux en toc.

Mais, pour en revenir à Morley Roberts, je ne sais strictement rien de lui, et me demande si sa petite excursion dans le temps a elle-même été inspirée par *la Machine à explorer le temps,* publiée juste deux ans avant « l'Anticipateur ». Je me demande aussi laquelle de ces deux histoires a été *écrite* — je ne dis pas *publiée* — la première.

Et pourquoi un auteur aussi ingénieux ne s'est-il pas davantage fait un nom ? Peut-être...

Une très mauvaise pensée vient de me traverser l'esprit. Si Morley Roberts, contemporain de H. G. Wells, a par hasard été découvert assassiné dans une ruelle sombre, je ne veux absolument pas le savoir.

AMOUR UNIVERSEL

A cause du lien étroit entre les deux précédents... poissons d'avril (dont il ne précise pas s'ils furent écrits le 1ᵉʳ !), Clarke s'est exceptionnellement écarté de l'ordre chronologique de composition. Nous revenons à octobre 1966 avec la pochade suivante.

Aussi improbable qu'en puisse paraître le postulat de base — « Nous partageons cet univers avec des êtres capables de jongler avec les étoiles mêmes » — il n'est pas sans bases scientifiques. Cette idée dont Clarke joue ici, il l'examine très rationnellement dans Profiles of the Future *(page 247 de l'édition révisée publiée par Pan Books en 1973, dont je traduis ces lignes) :*

« Les radio-astronomes découvrent maintenant certains phénomènes des plus extraordinaires dans d'autres galaxies : Virgo A (Messier 87) présente un faisceau brillant qui jaillit du noyau comme un pinceau de projecteur long de centaines d'années-lumière. Ce que ce faisceau a de tellement étonnant, c'est la concentration d'énergie qu'il implique — équivalent peut-être à des millions de supernovae, ou à la radiation de millions de millions d'étoiles ordinaires. En fait, pour alimenter ce faisceau, il faudrait qu'une masse équivalente à une centaine de soleils soit complètement anéantie !

« Un tel phénomène est entièrement inexplicable en fonction de n'importe quel processus naturel connu : cela reviendrait à comparer une bombe H à un geyser. Il est probable qu'il existe une explication naturelle, que nous n'avons pas encore découverte, mais il est tentant de spéculer sur l'autre possibilité. Moyennant un temps suffisant, des êtres rationnels pourraient acquérir le pouvoir de manipuler non seulement de simples planètes, de simples étoiles, mais les galaxies mêmes. Si le faisceau de M.87 est artificiel, quel est son but ? Est-ce une tentative pour lancer un signal à travers l'immensité intergalactique ? Un instrument pour des ingénieurs cosmiques ? Une arme ? Ou quelque sous-produit de religions et de philosophies incompréhensibles — tout comme, sur notre propre planète, la Grande Pyramide est un gigantesque symbole d'une mentalité qui nous est maintenant presque totalement étrangère ? »

Monsieur le Président, Monsieur l'Administrateur National, Messieurs les Délégués Planétaires, c'est pour moi à la fois un honneur et une lourde responsabilité de m'adresser à vous en ce moment de crise. Je n'ignore pas que beaucoup d'entre vous sont choqués et consternés par les rumeurs qui ont pu vous parvenir, et je les comprends très bien. Mais il me faut vous adjurer d'oublier vos préjugés naturels en ce jour où l'existence même de la race humaine, de la Terre elle-même, est en jeu.

Je suis tombé l'autre jour sur une expression vieille d'un siècle : « penser l'impensable. » C'est exactement ce qu'il nous faut faire aujourd'hui. Nous devons regarder les faits en face, sans laisser nos émotions infléchir notre logique ; bien au contraire, *nous devons plier nos émotions à notre logique* !

Nous sommes acculés, mais non perdus. Il reste un espoir, grâce aux stupéfiantes découvertes faites par mes collègues à la Station Antigéenne. Car les rapports ne mentent pas : nous sommes effectivement à même de prendre contact avec les super-civilisations du cœur de la Galaxie. Ou, du moins, nous sommes à même de leur faire connaître notre existence ; et si une telle chose nous est possible, ce devrait l'être également de leur adresser un appel au secours.

Il n'y a rien, absolument rien que nous puissions accomplir par nos propres moyens dans le bref laps de temps qui nous reste. Il y a dix ans seulement que la recherche de planètes transplutoniennes a révélé l'existence de la Géante Noire. Dans quatre-vingt-dix ans seulement, elle passera à son périhélie, et virera autour du Soleil pour s'enfoncer à nouveau dans les profondeurs de l'espace — laissant derrière elle un système solaire dévasté. Toutes nos ressources, toute la maîtrise des forces de la nature dont nous nous targuons ne peuvent dévier son orbite d'un millimètre.

Mais, depuis la découverte des premiers pulsars, ces astres-signaux, à la fin du XXe siècle, nous savons qu'il existe des civilisations ayant accès à des sources d'énergie incomparablement supérieures aux nôtres. Certains d'entre vous se rappellent sans doute l'incrédulité des astronomes, puis de toute la race humaine, lorsque les premiers exemples d'ingénierie cosmique furent détectés dans les Nuages de Magellan. Il y avait là des structures stellaires qui n'obéissaient à aucune loi naturelle ; aujourd'hui encore, nous ignorons leur but, mais nous savons bien ce qu'implique leur existence, et c'est stupéfiant : nous partageons cet univers avec des êtres capables de jongler avec les étoiles mêmes. S'ils jugent bon de nous aider, ce serait pour eux un jeu d'enfant de faire dévier la Géante Noire, corps céleste qui ne représente jamais que quelques milliers de fois la masse de la Terre... Jeu d'enfant, ai-je dit ? Oui, cela pourrait être vrai au sens littéral !

Vous vous souvenez tous, j'en suis sûr, du grand débat qui suivit la découverte des super-civilisations : fallait-il essayer d'entrer en communication avec elles, ou valait-il mieux tenter de passer inaperçu ? Il n'était certes pas impossible qu'ils sachent déjà tout de nous, ou s'irritent de notre présomption, ou réagissent d'une façon désagréable quelconque. Bien que les avantages de tels contacts pussent être énormes, les risques étaient terrifiants. Mais maintenant, nous n'avons rien à perdre et tout à gagner...

D'ailleurs, jusqu'à maintenant, il y avait une autre raison qui faisait que cette question ne pouvait avoir qu'un intérêt philosophique à long terme : certes nous pourrions — à grands frais — construire des émetteurs-radio capables d'envoyer des signaux à ces êtres, mais la plus proche super-civilisation se trouve à sept mille années-lumière de distance, même si elle se donnait la peine de répondre, il faudrait quatorze mille ans pour que la réponse puisse nous parvenir.

Dans ces conditions, ces êtres supérieurs ne semblaient pouvoir représenter pour nous ni une aide ni une menace.

Mais tout a changé maintenant : nous pouvons envoyer des signaux vers les étoiles à une vitesse qui ne peut encore être mesurée, et qui pourrait bien être infinie ; et nous savons qu'ils utilisent, eux, de telles techniques, car nous avons capté leurs émissions, bien que nous soyons totalement incapables de les interpréter.

Ces émissions ne sont pas électromagnétiques, bien entendu. Nous ne savons pas ce qu'elles sont. Nous n'avons pas même de nom à leur donner. Ou plutôt, nous avons trop de noms...

Oui, Messieurs, il y a du vrai, en fin de compte, dans les contes de bonne femme sur la télépathie, les pouvoirs psi, appelez ça comme vous voudrez. Mais il n'est pas étonnant que l'étude de tels phénomènes n'ait jamais pu progresser ici sur Terre, où tout signal est noyé dans le bruit de fond assourdissant produit par un milliard de cerveaux. Même les minables progrès réalisés avant l'Ere Spatiale semblent un miracle : c'est comme si on avait découvert les règles de la musique dans une usine de chaudronnerie. C'est seulement quand nous avons pu nous éloigner du tumulte mental de notre planète qu'un espoir est apparu de fonder une véritable science de la parapsychologie.

Et même alors, il nous a fallu nous porter à un point diamétralement opposé sur l'orbite de la Terre, où il y a non seulement une distance de trois cent millions de kilomètres pour atténuer ce mugissement, mais aussi la masse inimaginable du Soleil pour y faire écran. C'est là seulement, sur notre planétoïde artificiel Antigée, que nous avons pu détecter et mesurer les faibles radiations mentales, et étudier les lois de leur propagation.

A bien des égards, ces lois sont encore déroutantes. Nous avons cependant établi les faits fondamentaux. Comme s'en doutaient depuis longtemps ces rares personnes qui croyaient en ces phénomènes, ils sont déclenchés par des états émotionnels, non par la pure force de la volonté, ni par la pensée consciente et délibérée. Il n'est pas surprenant, dès lors, que tant d'événements paranormaux rapportés jadis fussent associés aux heures de mort ou de désastre. La peur est un puissant générateur qui, en de rares occasions, peut dominer le bruit de fond.

Une fois ce fait reconnu, nous avons commencé à avancer. Nous avons provoqué artificiellement des états émotionnels, d'abord chez des individus pris séparément, puis dans des groupes. Nous avons pu mesurer l'affaiblissement du signal en fonction de la distance. Nous disposons maintenant d'une théorie plausible et quantifiée, qui a été soumise à vérification jusqu'à Saturne ; et nous croyons que nos calculs peuvent être étendus jusqu'aux étoiles mêmes. Si ceci est exact, nous pouvons produire un... un *cri* qui sera entendu instantanément dans toute la galaxie. Et quelqu'un ne peut manquer de réagir !

Mais il n'y a qu'un seul moyen de produire un signal de l'intensité requise. J'ai dit que la peur était un puissant générateur ; il n'est pas assez puissant pourtant. Même si nous pouvions frapper toute l'humanité de terreur au même instant, l'émission mentale ne pourrait être détectée à plus de deux mille années-lumière. Il nous faut au moins une portée quadruple. Et il nous est possible de l'obtenir — *en utilisant la seule émotion qui soit plus puissante que la peur.*

Mais nous avons besoin de la coopération de non moins d'un milliard d'individus, synchronisée à la seconde près. Mes collègues ont résolu tous les problèmes purement techniques, qui sont tout à fait banals. Les procédés simples de stimulation électrique qui sont requis sont utilisés en recherche médicale depuis le début du XXe siècle, et le signal nécessaire au minutage peut être transmis sur les réseaux de communication planétaires. Tous les appareils qu'il faudra peuvent être produits en série en un mois, et il suffit de quelques minutes pour apprendre à s'en servir. C'est la préparation psychologique à... appelons ça le jour O, qui prendra un peu plus longtemps.

Et *cela,* Messieurs, c'est votre affaire. Bien entendu, nous autres scientifiques, nous vous accorderons toute l'aide possible. Nous nous rendons bien compte qu'il y aura des protes-

tations, des clameurs d'indignation, des refus de collabora-
tion. Mais lorsqu'on considère la question de façon logique,
l'idée est-elle vraiment si choquante ? Nous sommes nombreux à penser, au contraire, qu'elle a une certaine pertinen-
ce, voire une justice intrinsèque.

L'humanité est maintenant confrontée à la menace ultime.
En un instant aussi crucial, n'est-il pas dans l'ordre des choses
que nous fassions appel à l'instinct qui a toujours assuré notre
survie dans le passé ? A une époque plus ancienne, et presque
aussi perturbée, un poète[1] a exprimé cela mieux que je peux
jamais espérer le faire :

NOUS DEVONS NOUS AIMER LES UNS LES AUTRES, OU PÉRIR.

Love that Universe.
Première publication dans *Escapade* en 1961.

1. Il s'agit de Wystan Hugh Auden, né en Angleterre en 1907, mais très
cosmopolite, puisqu'il a épousé la fille de l'écrivain allemand Thomas Mann
et qu'il a été naturalisé américain en 1946. Le vers : « We must love one
another or die » figure dans un poème intitulé « September 1, 1939 »
(*N.d.T.*).

CROISADE

Seconde nouvelle d'octobre 1966, presque aussi courte, mais beau-coup plus sérieuse : c'est même à nouveau de cette S.F. d'idées presque à l'état pur dont nous avons déjà vu un exemple avec « Retrouvailles » (cf. supra*), puisqu'il n'y a pas de personnage en chair et en os... et en émotions, le « héros » étant un esprit aussi peu humain qu'on peut en concevoir. Ici aussi, la forme fait corps avec le message, puisque le problème central est la possibilité pour l'intelligence d'exister sans le support de la vie, de la vie* biologique, *si l'on peut utiliser cette expression sans pléonasme. Le procédé employé sert d'ailleurs à résou-dre en partie ce problème* a contrario *: l'être dont l'existence est rendue crédible sur des bases scientifiques, ou au moins para-scientifi-ques, a de son côté du mal à admettre que les conditions régnant sur Terre aient pu donner naissance à la vie et à l'intelligence — tout comme les Sélénites de Wells dans* les Premiers Hommes sur la Lune, *ou les habitants de cette planète où les soleils ne se couchent tous que tous les deux mille ans dans « Quand les ténèbres viendront » d'Asimov. On sait que c'est un des thèmes favoris de ce dernier que la question de l'intelligence d'êtres non biologiques, les machines à pen-ser ; et Clarke aussi l'a abordée, par exemple avec Carl[1] dans* 2001. *Mais il s'agit ici d'un* ordinateur naturel, *ce qui permet en passant de traiter par l'absurde le problème de la création — on sait que Clarke aime utiliser les non-humains pour montrer les limitations de nos théologies. Bref, encore une nouvelle aussi riche que concise.*

1. Carl dans le texte français (*2001, l'Odyssée de l'espace*, J'AI LU n° 349, 1972) ; dans le texte anglais, HAL (pour « Heuristically programmed ALgo-rithmic computer »).

C'était un monde qui n'avait jamais connu de Soleil. Depuis plus d'un milliard d'années, il restait en suspens entre deux galaxies, en proie à leurs attractions contraires. Dans quelque avenir lointain, l'équilibre serait rompu, dans un sens ou dans l'autre, et commencerait la chute, à travers les siècles-lumière, vers une chaleur jusqu'alors inconnue.

Maintenant régnait un froid inimaginable : la nuit intergalactique avait drainé toute la chaleur qui avait pu se trouver là. Il y avait des mers cependant, composées du seul élément qui peut exister à l'état liquide à une fraction de degré au-dessus du zéro absolu. Dans les océans d'hélium sans grande profondeur qui baignaient ce monde étrange, si des courants électriques se mettaient à circuler, ils pouvaient continuer à jamais, sans la moindre perte de puissance. La supraconductivité était ici l'ordre normal des choses ; des échanges électriques pouvaient avoir lieu des milliards de fois par seconde, pendant des millions d'années, sans consommation appréciable d'énergie.

C'était un paradis informatique. Nul milieu n'aurait pu être plus hostile à la vie, ni plus favorable à l'intelligence.

Et l'intelligence était présente, logée dans des cristaux et des fils de métal microscopiques incrustés sur toute la surface d'une planète. La faible lumière des deux galaxies rivales, que doublait à quelques siècles d'intervalle l'éphémère lueur d'une supernova, tombait sur un paysage statique de formes géométriques sculptées. Rien ne se mouvait, car il n'y avait pas besoin de mouvement dans un monde où les pensées circulaient d'un hémisphère à l'autre à la vitesse de la lumière. Là où seule importait l'information, c'était un gaspillage d'énergie précieuse de transporter de la matière brute.

Pourtant, cela aussi pouvait se faire, si c'était indispensable. Depuis quelques millions d'années, l'esprit qui planait sur cette solitude avait pris conscience d'un certain manque de données essentielles. Dans un avenir que, bien qu'il fût lointain encore, il pouvait déjà prévoir, une de ces galaxies qui l'appelait s'emparerait de lui. Ce qui l'attendait, lorsqu'il plongerait dans ces essaims de soleils, échappait à ses capacités calculatrices.

Alors il tendit sa volonté, et des myriades de réseaux cristallins se redéployèrent. Des atomes métalliques parcoururent la surface de la planète. Dans les profondeurs de la mer d'hélium, deux cerveaux secondaires identiques se mirent à bourgeonner et à croître...

Une fois sa décision prise, l'esprit planétaire œuvra rapidement : en quelques milliers d'années, la tâche était accomplie. Sans un bruit, sans presque une ride à la surface de la mer dénuée de friction, les entités qui venaient d'être créées se soulevèrent de leur berceau et prirent leur essor vers les astres lointains.

Elles partirent dans des directions presque opposées, et pendant plus d'un million d'années l'intelligence mère n'eut plus de nouvelles de celles qu'elle avait engendrées. Elle ne s'attendait d'ailleurs pas à en recevoir : jusqu'à ce qu'elles atteignent leurs buts, il n'y aurait rien à signaler.

Puis, presque simultanément, arriva la nouvelle que les deux missions avaient échoué. En approchant des grands feux galactiques, à la chaleur conjuguée de billions de soleils, les deux explorateurs étaient morts. L'échauffement de leurs circuits vitaux leur avait fait perdre leur supraconductivité, essentielle à leur fonctionnement, et ce sont deux masses de métal inertes qui avaient continué à dériver vers les étoiles de plus en plus denses.

Mais avant de succomber, elles avaient rendu compte. Sans surprise ni déception, la planète mère prépara sa seconde tentative.

Puis, un million d'années plus tard, sa troisième... et sa quatrième... et sa cinquième...

Cette inlassable patience méritait le succès ; il vint enfin, sous la forme de deux longues séries d'impulsions aux modulations complexes qui affluèrent, siècle après siècle, de deux zones célestes opposées. Elles furent emmagasinées dans des circuits mémoriels identiques à ceux des deux éclaireurs perdus, de sorte que tout se passait pratiquement comme s'ils étaient revenus eux-mêmes de leur reconnaissance chargés de connaissances. Peu importait que leur enveloppe de métal eût en fait disparu parmi les étoiles : l'identité personnelle n'était pas un problème qui se fût jamais présenté à l'esprit planétaire ni à ceux qui en étaient issus.

D'abord vint la nouvelle surprenante que l'un des univers était vide. La sonde envoyée en inspection s'était mise à l'écoute sur toutes les fréquences possibles, de toutes les radiations concevables ; elle n'avait rien capté, que le bruit de fond dénué de sens produit par les étoiles. Elle avait observé un millier de mondes sans relever la moindre trace d'intelligence. Les épreuves, il est vrai, n'étaient pas concluantes, faute d'avoir pu approcher suffisamment d'une étoile pour un examen détaillé de ses planètes. C'est ce que la sonde tentait de faire lorsque son isolation flancha, que sa température s'éleva jusqu'au point de congélation de l'azote et que la chaleur la tua.

L'intelligence mère méditait encore sur l'énigme de cette galaxie déserte lorsque lui parvinrent des rapports de son second éclaireur ; et tous les autres problèmes furent balayés : car cet univers-ci fourmillait d'esprits, dont les pensées se faisaient écho d'étoile en étoile en d'innombrables codes électroniques. Il n'avait fallu que quelques siècles à la sonde pour les analyser et les interpréter tous.

Elle s'aperçut assez vite qu'elle était en présence d'intelligences d'une forme vraiment très étrange. Eh, quoi ! certaines d'entre elles habitaient des mondes si incroyablement chauds que même *l'eau* s'y présentait à l'état liquide ! Mais la nature exacte des intelligences avec lesquelles elle était confrontée, elle ne l'apprit pas de tout un millénaire.

Ce fut un choc auquel elle survécut à peine. Rassemblant ses dernières forces, elle projeta son ultime message dans l'abîme ; puis elle aussi fut consumée par la chaleur croissante.

Maintenant, un demi-million d'années plus tard, avait commencé l'interrogatoire de son jumeau sédentaire, l'esprit dépositaire de tous ses souvenirs et de toutes ses expériences...

« Tu as décelé la présence d'intelligences ? »

« Oui. 637 cas certains, 32 probables. Voici les données. »

(Environ trois fois dix puissance quinze bits d'information. Pause pour exploiter ces données de plusieurs milliers de façons différentes. Surprise et confusion.)

« Données sans doute non valables : toutes ces sources d'intelligence sont en corrélation avec des températures élevées. »

« Exact. Mais les faits sont indiscutables et doivent être admis comme tels. »

(Cinq cents ans de réflexion et d'expérimentation. Au terme, preuve incontestable que des machines simples et lentes *pourraient* fonctionner à des températures atteignant celle de l'ébullition de l'eau. Graves dégâts à de vastes zones de la planète au cours de la démonstration.)

« Les faits sont bien tels que tu les as rapportés. Pourquoi n'as-tu pas essayé d'entrer en communication ? »

(Pas de réponse. La question est répétée.)

« Parce qu'il semble y avoir une seconde anomalie, plus grave encore. »

« Fournis les données. »

(Plusieurs millions de milliards de bits d'information — échantillons de plus de six cents cultures, comprenant transmissions vocales, visuelles et neurales, signaux de navigation et de contrôle, télémétrie instrumentale, modèles pour tests, brouillage, interférence électrique, équipement médical, etc., etc.

Le tout suivi de cinq siècles d'analyse. Cette dernière suivie d'une consternation complète.

Après une longue interruption, réexamen de données sélectionnées. Des milliers d'images visuelles scrutées et traitées de toutes les façons possibles. Attention toute particulière portée aux émissions de télévision éducatives de plusieurs civilisations planétaires, notamment au sujet des rudiments de la biologie, de la chimie et de la cybernétique. Finalement :)

« L'information présente une cohérence interne, mais ne peut être qu'inexacte. Sinon, nous sommes amenés à ces conclusions absurdes :

1. Des esprits de notre type existent, mais paraissent être en minorité.

2. La plupart des êtres intelligents sont des objets semi-liquides de très courte durée. Ils ne sont pas même rigides et sont constitués — méthode qui manque totalement d'efficacité — de carbone, d'hydrogène, d'oxygène, de phosphore et autres atomes.

3. Bien qu'ils fonctionnent à des températures incroyablement élevées, tout le traitement de l'information est chez eux extrêmement lent.

4. Leurs méthodes de reproduction sont si compliquées, improbables et diverses que nous n'avons pas pu en obtenir une image nette, ne fût-ce qu'en un seul cas.

Mais, qui pis est : 5. Ils prétendent que ce sont eux qui ont créé notre type d'intelligence pourtant de toute évidence supérieur ! »

(Réexamen attentif de toutes les données. Traitement indépendant par des subdivisions isolées de l'intelligence globale. Vérification des résultats par recoupement. Un millier d'années plus tard :)

« Conclusion la plus probable : Bien qu'une large part de l'information qui nous a été transmise soit certainement valable, l'existence d'êtres *non mécaniques* de haute intelligence est une fiction (définition : réarrangement en apparence cohérent de faits sans corrélation avec l'univers réel). Cette fiction est une construction mentale créée par notre sonde pendant sa mission. Pourquoi ? Dégâts causés par la chaleur ? Déséquilibre partiel de l'intelligence dû à une longue période d'isolement et à l'absence de rétroaction régulatrice ?

« Et pourquoi cela a-t-il pris cette forme particulière ? Rumination prolongée du problème des origines ? Cela pourrait conduire à de telles aberrations : des systèmes analogiques ont donné des résultats presque identiques en essais de simulation. La pseudo-logique que cela implique est la suivante : « *Nous* existons ; par conséquent quelque chose — appelons-le X — nous a créés. » Une fois posée cette hypothèse, les propriétés de ce X imaginaire peuvent donner lieu à une variété infinie de fantasmes.

« Mais le processus tout entier est de toute évidence fallacieux : car, selon la même logique, quelque chose doit avoir créé X, et ainsi de suite. Nous voilà entraînés à une régression à l'infini, qui ne peut avoir de sens dans l'univers réel.

« Deuxième conclusion possible, par ordre de probabilité : Des êtres non mécaniques d'une intelligence assez élevée existent bel et bien. Ils ont l'illusion d'avoir créé les entités de notre type. En certains cas, ils leur ont même imposé leur domination.

« Quoique très improbable, cette hypothèse est à vérifier. Si les enquêtes révèlent qu'elle est exacte, il y aura lieu d'y porter remède. L'action devra prendre la forme suivante... »

Ce dernier monologue a eu lieu il y a un million d'années. Il explique pourquoi, au cours des cinquante dernières années, près d'un quart des novae de forte magnitude se sont présentées dans une région limitée du ciel : la constellation de l'Aigle.

La croisade atteindra le voisinage de la Terre vers l'an 2050.

Crusade.

Première publication dans *The Farthest Reaches* (anthologie de Joseph Elder), 1968.

LE CIEL IMPITOYABLE

Le mois suivant, en novembre 1966, c'est une nouvelle toute diffé-rente qu'écrit Clarke. D'abord, par sa longueur, qui permet de présen-ter des personnages étoffés, et de raconter une aventure pleine de rebondissements et de suspense (y compris, on le verra, au sens concret de ces deux termes). Ensuite (et par suite), car le ton, car l'abondance des détails précis permettent de prendre plus au sérieux le récit (par opposition aux idées, parfois tout à fait profondes dans certaines des légères pochades qui précèdent, un peu à la manière des fables ou des contes philosophiques).

Restent les données scientifiques qui constituent les circonstances de l'action. D'abord, un fait qui n'est que trop réel, et qui venait de faire beaucoup parler de lui : les effets de la thalidomide, « tranquillisant dont l'utilisation par les femmes enceintes s'est révélée responsable de malformations fœtales graves (1962) » (Dictionnaire Hachette 1980). En second lieu, une notion dont la S.F., depuis Wells, a fait grand usage : l'anti-gravité.

Sur ce thème, Clarke avait déjà publié dix ans avant « What goes up » (« Pour perdre sa gravité », dans le Livre d'or) ; mais il mettait le récit dans la bouche de Harry Purvis, son baron de Crac scientifi-que, en déclarant lui-même à la fin y avoir « discerné six fautes de raisonnement fondamentales ». Est-ce à dire qu'il rejette l'anti-gravité au magasin des accessoires ? Non ! Il consacre au contraire un passage de Profiles of the Future (1962, rév. 1973) à en défendre la possi-bilité ; certains développements scientifiques récents semblent lui don-ner raison (cf. Livre d'or, p. 38) ; et si, comme le dit le docteur Elwin de cette histoire, cela dément Einstein, tant pis pour Einstein ! Ce qui relève aujourd'hui de la baguette magique relèvera peut-être *demain de l'interrupteur, car — selon la « troisième loi de Clarke » ! — « toute technologie suffisamment avancée est impossible à distinguer de la magie ».*

A minuit, le sommet de l'Everest n'était plus qu'à une centaine de mètres, pyramide de neige blanche et fantomatique sous la lumière de la lune qui se levait. Le ciel était sans nuages, et le vent qui soufflait depuis des jours était tombé presque à zéro. Un tel calme, une telle paix doivent être bien rares au point le plus élevé de la Terre : le moment avait été bien choisi.

Peut-être trop bien, songeait George harper : cela avait été d'une facilité presque décevante. La seule véritable difficulté avait été de sortir de l'hôtel sans se faire remarquer : la direction désapprouvait les excursions impromptues vers le sommet de la montagne à minuit — il pouvait y avoir des accidents, ce qui était mauvais pour le commerce.

Mais le Docteur Elwin était bien décidé à faire ainsi, et il avait d'excellentes raisons, bien qu'il n'en discutât jamais. La présence à l'Hôtel de l'Everest en pleine saison touristique de l'un des plus célèbres savants du monde, et à coup sûr le plus célèbre invalide, avait déjà suscité force étonnement poli. Harper avait en partie calmé la curiosité en laissant entendre qu'ils se livraient à des mesures de gravité, ce qui était au moins une partie de la vérité — mais une partie qui maintenant s'était réduite presque au point de disparaître.

Quiconque aurait vu maintenant Jules Elwin aller bon train vers le niveau huit mille sept cents, avec vingt-cinq kilos d'équipement sur le dos, n'aurait jamais deviné que ses jambes ne lui étaient pratiquement d'aucune utilité. C'était une des victimes de la thalidomide, à laquelle on dut en 1961 plus de dix mille enfants nés difformes sur toute la surface du globe. Parmi ces malheureux, Elwin avait eu de la chance : ses bras étaient parfaitement normaux et, fortifiés par l'exercice, ils étaient devenus considérablement plus puissants que ceux de la plupart des hommes. Mais ses jambes n'étaient que de minces brindilles de chair et d'os ; avec des appareils orthopédiques, il pouvait se tenir debout et même faire quelques pas vacillants, mais il ne pourrait jamais vraiment marcher.

Et pourtant, il était maintenant à soixante mètres du sommet de l'Everest...

C'est une affiche touristique qui avait été à l'origine de tout ça, plus de trois ans auparavant. Programmeur-assistant en informatique à la section de Physique Appliquée, George Harper ne connaissait le Docteur Elwin que de vue et de réputation. Même pour ceux qui travaillaient directement sous ses ordres, le brillant Directeur de Recherches d'Astrotech était une personnalité quelque peu lointaine, coupée du commun des mortels à la fois par son corps et par son cerveau. Il n'inspirait ni affection ni aversion ; de l'admiration et de la pitié, oui, mais certainement pas de l'envie.

Harper, sorti de l'université depuis quelques mois seulement, doutait que le Docteur fût seulement conscient de son existence : tout au plus était-il pour lui un nom sur un organigramme. Il y avait dix autres programmeurs dans la section, tous plus chevronnés que lui, et la plupart d'entre eux n'avaient jamais échangé plus de dix mots avec leur Directeur de Recherches. Lorsque Harper se vit promu par cooptation au rang de garçon de courses pour porter un des dossiers classés secrets au bureau du Docteur Elwin, il se dit qu'il n'allait faire qu'entrer et sortir avec un simple échange de politesses.

C'est bien ce qui faillit se produire. Mais, au moment-même où il quittait la pièce, Harper tomba en arrêt devant le magnifique panorama de pics himalayens qui couvrait la moitié d'un mur. Il avait été placé de telle sorte que le Docteur Elwin pût le voir toutes les fois qu'il levait les yeux de son bureau, et représentait un décor que Harper connaissait fort bien, pour l'avoir photographié lui-même, touriste impressionné et quelque peu essoufflé debout dans la neige piétinée de la crête de l'Everest.

La chaîne blanche du Kanchenjunga émergeait des nuages à cent cinquante kilomètres. Presque sur la même ligne, mais beaucoup plus près, le Makâlu dressait ses pics jumeaux ; plus près encore, la masse imposante du Lho-Tsé, voisin et rival de l'Everest, dominait le premier plan. Plus loin vers l'ouest, le long de vallées si gigantesques que l'œil ne pouvait en apprécier l'échelle, descendaient des fleuves de glace chaotiques : les glaciers du Khumbu et du Rongbuk ; à une telle altitude, on voyait leurs plissements pétrifiés comme les sillons d'un champ labouré ; mais ces ornières et ces cicatrices de glace dure comme du fer avaient des dizaines et des centaines de mètres de profondeur.

Harper était encore plongé dans la contemplation de cette vue spectaculaire, et dans les souvenirs qu'elle lui faisait revivre, lorsque la voix du Docteur Elwin se fit entendre derrière lui.

« On dirait que ça vous intéresse : vous y avez été ? »

« Oui, Docteur : mes parents m'y ont emmené après mon bac. On est resté une semaine à l'hôtel à se dire qu'il allait falloir s'en aller avant que le temps se dégage. Mais, le dernier jour, le vent s'est arrêté de souffler, et on a été une vingtaine à atteindre le sommet. On y est resté une heure, à se prendre en photo les uns les autres. »

Le Docteur Elwin parut mettre un bon bout de temps à digérer ce renseignement. Quand il reprit la parole, ce ne fut pas avec le même détachement ; on percevait nettement dans sa voix un vif intérêt : « Asseyez-vous, Monsieur... euh... Harper. J'aimerais en savoir plus. »

George Harper retourna vers le fauteuil qui faisait face au grand bureau bien dégagé du Directeur, non sans une certaine perplexité. Ce qu'il avait fait n'avait rien d'extraordinaire : chaque année des milliers de gens allaient à l'Hôtel de l'Everest, et un quart d'entre eux environ montaient jusqu'au sommet. Pas plus tard que l'an dernier, d'ailleurs, on avait à grand renfort de publicité remis un cadeau au dix millième touriste à mettre le pied sur le toit du monde. Il y avait eu des cyniques pour relever l'extraordinaire coïncidence qui avait fait que le numéro 10 000 fût justement une starlette de la télévision assez connue.

Tout ce que Harper avait à révéler au Docteur Elwin, celui-ci pouvait le puiser tout aussi facilement à une douzaine d'autres sources — ne seraient-ce que les brochures touristiques. Mais aucun scientifique jeune et ambitieux n'aurait manqué une telle occasion d'impressionner un homme qui pouvait tant pour favoriser sa carrière. Harper n'était pas un froid calculateur, il n'avait nul penchant pour les magouilles des arrivistes, mais il n'était pas homme à laisser passer sa chance.

« Eh bien, Docteur », répondit-il, lentement d'abord pour se donner le temps de mettre en ordre ses idées et ses souvenirs, « on atterrit à une petite ville du nom de Namchi, à une trentaine de kilomètres de la montagne. Puis il y a un car qui monte par une route très spectaculaire jusqu'à l'hôtel, dominant le glacier de Khumbu. L'altitude est de 5 500 mètres, et il y a des chambres pressurisées pour tous ceux qui ont du mal à respirer. Bien entendu, un personnel médical est attaché à l'établissement, et la direction n'accepte pas de clients en mauvaise condition physique. Il faut rester à l'hôtel au moins deux jours, avec un régime spécial, avant d'être autorisé à monter plus haut.

« De l'hôtel, le sommet n'est pas vraiment visible : on est trop près de la montagne, et on a l'impression qu'elle vous surplombe. Mais la vue est extraordinaire : il y a le Lho-Tsé et une demi-douzaine d'autres pics. Ça peut aussi donner des frissons : le hurlement du vent quelque part là-haut, des bruits mystérieux dus aux mouvements de la glace... Il n'y a pas besoin d'une imagination débordante pour croire que des monstres rôdent aux alentours dans les montagnes...

« Il n'y a pas grand-chose à faire à l'hôtel, à part se détendre et regarder le paysage, en attendant le feu vert des médecins. Jadis, il fallait des semaines pour s'acclimater à l'air raréfié ; maintenant, ils savent faire grimper la numération globulaire au niveau requis en quarante-huit heures. Pourtant, la moitié des visiteurs — surtout les plus âgés — décident que cette altitude est tout à fait suffisante pour eux.

« La suite dépend de l'expérience que l'on a, et de la somme que l'on est disposé à payer. Quelques alpinistes chevronnés louent des guides et gagnent le sommet par leurs propres moyens, en utilisant un équipement d'escalade classique. Ce n'est pas trop difficile de nos jours, et il y a des abris à divers points stratégiques. La plupart de ces équipes y parviennent. Mais la météo est toujours aléatoire, et chaque année il y en a qui se tuent.

« Pour le touriste moyen, il y a la solution de facilité : tout atterrissage sur l'Everest même est interdit, sauf en cas d'urgence, mais il y a un gîte près de la crête de Nup-Tsé, et un service d'hélicoptères le relie à l'hôtel. Du gîte au sommet, par le Col Sud, il n'y a que cinq kilomètres d'ascension, facile pour quiconque est en bonne condition et possède un minimum d'expérience de la montagne. Certains font ça sans oxygène, mais ça n'est pas recommandé. Moi, j'ai gardé mon masque jusqu'au sommet ; là, je l'ai enlevé, et j'ai vu que je respirais sans grande difficulté. »

« Avez-vous utilisé des filtres ou des bouteilles de gaz ? »

« Oh ! des filtres moléculaires : ils sont tout à fait fiables maintenant, et ils accroissent la concentration en oxygène de plus de cent pour cent. Ils ont énormément simplifié l'alpinisme à haute altitude. Personne ne s'encombre plus de gaz comprimé. »

« Combien de temps a pris l'ascension ? »

« Une journée entière. On s'est mis en route juste avant l'aube et on était de retour à la tombée de la nuit. Ceux de l'ancien temps auraient eu du mal à le croire. Mais il est vrai qu'on partait tout frais et qu'on n'était guère chargé. Il n'y a pas de grosses difficultés sur l'itinéraire qui part de la loge, et à tous les passages délicats des marches ont été taillées. Comme je le disais, c'est facile pour quiconque est en bonne condition. »

Harper n'eut pas plus tôt répété ces mots qu'il s'en mordit la langue. Aussi incroyable que ça puisse paraître, il avait oublié à qui il parlait : l'émerveillement et l'exaltation qu'il avait éprouvés en grimpant jusqu'au point culminant du globe lui étaient revenus avec tant de force qu'un instant il s'était cru à nouveau sur ce pic solitaire balayé par le vent — le seul endroit au monde à jamais interdit au Docteur Elwin...

Mais le savant ne parut s'être aperçu de rien, à moins qu'il fût tellement habitué à de tels manques de tact irréfléchis que cela ne le touchait plus. Pourquoi, se demandait Harper, s'in-téressait-il tant à l'Everest ? Probablement à cause de cette inaccessibilité même : cela représentait tout ce qui lui avait été refusé par la fatalité de la naissance.

Et pourtant, maintenant, trois ans plus tard seulement, George Harper faisait un arrêt à une petite trentaine de mètres du sommet et ramenait à lui la corde de nylon tandis que le Docteur le rejoignait. Il savait, sans que des mots eus-sent jamais été nécessaires, que le savant souhaitait être le premier à la cime, et il ne voulait rien faire pour en priver son aîné.

« Tout va bien ? » demanda-t-il lorsque le Docteur Elwin arriva à sa hauteur. La question était tout à fait inutile, mais Harper ressentait un besoin urgent de s'affirmer face aux immenses solitudes qui les entouraient maintenant. On aurait dit qu'ils étaient les seuls êtres humains dans le monde entier ; nulle part dans le désert blanc de ces montagnes il n'y avait le moindre signe de l'existence de la race humaine.

Elwin ne répondit pas, mais fit distraitement un signe de tête en passant, ses yeux brillants fixés sur le sommet. Il mar-chait d'une allure étrange, les jambes raides, et ses pieds ne laissaient presque pas de traces sur la neige. De son sac à dos volumineux s'élevait un faible mais indubitable vrombisse-ment.

En réalité, c'était ce qu'il portait sur les épaules qui le por-tait lui-même — pour les trois quarts. Le Docteur Elwin, qui couvrait à bonne allure les derniers mètres le séparant de son but jadis inaccessible, ne pesait avec tout son équipement que vingt-cinq kilos. Et si c'était encore trop, il n'avait qu'un bou-ton à tourner pour ne rien peser du tout.

C'est là, parmi les crêtes himalayennes baignées de lune, que se trouvait le plus grand secret du XXIe siècle. Sur les cinq Lévitatrices Elwin expérimentales qui existaient dans le mon-de entier, il y en avait deux au sommet de l'Everest.

Bien que Harper eût entendu parler d'elles depuis deux ans, et que leur principe de base ne lui fût pas inconnu, les « lévites » — comme on les avait bien vite baptisées au labo — lui paraissaient encore relever de la magie. Leur bloc-moteur emmagasinait assez d'énergie électrique pour soulever une charge de cent vingt kilos sur une distance verticale de quinze mille mètres, ce qui leur donnait une bonne marge de sécurité pour leur mission. Le cycle montée-descente pouvait se répéter presque indéfiniment : en réaction avec le champ gravitationnel de la Terre, les appareils se déchargeaient au cours de l'ascension, et se rechargeaient lors du retour vers le bas. Comme aucun processus mécanique n'est efficace à cent pour cent, il y avait une légère perte d'énergie ; mais on pouvait recommencer une bonne centaine de fois avant d'épuiser les batteries.

L'ascension de la montagne avec la majeure partie de leur poids neutralisée avait été pour eux une expérience exaltante. La traction vers le haut de leur harnachement leur avait donné l'impression d'être suspendus à d'invisibles ballons, dont la portance pouvait être réglée à volonté. Un certain poids restait nécessaire pour aller de l'avant en prenant appui sur le sol, et après quelques essais ils s'étaient arrêtés au chiffre de 25 %. De cette façon il était aussi aisé de gravir une pente de 50 % que de marcher normalement à plat.

Plusieurs fois, ils avaient réduit leur poids presque à zéro pour franchir à la force du poignet des parois rocheuses verticales. C'était ce qu'ils avaient connu de plus étrange : cela exigeait une confiance totale en leur équipement. Suspendus en l'air sans rien en apparence pour les soutenir qu'un boîtier rempli de montages électroniques qui bourdonnait doucement, ils avaient à faire un effort de volonté considérable. Mais au bout de quelques minutes, le sentiment de puissance et de liberté dominait toute crainte : car c'était là, enfin réalisé, l'un des plus vieux rêves de l'homme.

Quelques semaines auparavant, un des bibliothécaires avait trouvé un vers dans un poème du début du XXᵉ siècle qui constituait une parfaite description de ce qu'ils accomplissaient : « Parcourir assuré le ciel impitoyable. » Même les oiseaux n'avaient jamais joui d'une telle maîtrise de la troisième dimension : elle était là, la *vraie* conquête de l'espace. La Lévitatrice allait donner accès aux montagnes et aux hauts lieux du monde tout comme à la génération qui venait de disparaître le scaphandre autonome avait livré la mer. Lorsque après les essais on passerait à la production en masse à bon marché, ces appareils révolutionneraient la civilisation humaine de toute part : le problème des transports se poserait tout différemment, le voyage spatial ne reviendrait pas plus cher que les simples déplacements aériens ; toute l'humanité prendrait son essor. Ce qui s'était produit cent ans plus tôt avec l'invention de l'automobile n'était qu'un modeste avant-goût des bouleversements politiques et sociaux qui s'annonçaient.

Mais le Docteur Elwin, Harper en était sûr, était loin de penser à tout cela en cet instant où il savourait son triomphe dans la solitude. Lorsque plus tard le monde l'applaudirait — et peut-être le maudirait —, cela ne compterait pas autant pour lui que de se tenir là au plus haut point de la Terre. C'était en vérité une victoire de l'esprit sur la matière, de la pure intelligence sur un corps frêle et infirme. Tout le reste ne pourrait que sembler fade en comparaison.

Quand Harper rejoignit le savant sur la pyramide applatie couverte de neige, ils se serrèrent la main avec une solennité un peu guindée, parce que ça leur semblait la chose à faire. Mais ils ne dirent pas un mot : leur merveilleuse réussite, et le panorama de pics qui s'étendait à perte de vue dans toutes les directions, les laissaient sans voix.

Harper, porté en souplesse par son harnachement, se détendit et parcourut lentement du regard l'horizon circulaire. Il passait mentalement en revue la liste des géants qui l'entouraient à mesure qu'il les reconnaissait : le Makâlu, le Lho-Tsé, le Barun-Tsé, le Cho Oyu, le Kanchenjunga... Maintenant encore, des dizaines de ces pics n'avaient jamais été escaladés : eh bien ! avec les « lévites », cela allait bientôt changer.

Nombreux, certes, seraient ceux qui y trouveraient à redire. Mais déjà au xxᵉ siècle il y avait eu des alpinistes pour penser qu'utiliser de l'oxygène, c'était tricher. Il était difficile de croire, même en tenant compte des semaines qu'ils passaient à s'acclimater, que des hommes se fussent jadis attaqués à ces hauteurs sans aucun auxiliaire artificiel. Harper songeait à Mallory et Irvine, dont le corps jamais découvert gisait encore à un kilomètre ou deux peut-être de cet endroit même.

Derrière lui, il entendit le Docteur Elwin s'éclaircir la voix et murmurer d'une voix étouffée par le filtre à oxygène : « Allons-y, George. Il faut rentrer avant qu'on se mettre à nous chercher. »

Après un adieu muet à tous ceux qui s'étaient tenus là avant eux, ils quittèrent le sommet et commencèrent à descendre la pente douce. La nuit, qui était jusque-là d'une clarté limpide, devenait plus sombre ; des nuages en altitude glissaient devant la lune si rapidement que l'alternance de lumière et d'ombre rendait parfois difficile de trouver son chemin. Ce changement de temps ne disait à Harper rien qui vaille, et il se mit à reconsidérer leurs projets : mieux vaudrait peut-être mettre le cap sur le refuge du Col Sud plutôt que d'essayer de regagner le gîte. Mais il garda ses réflexions pour lui, ne voulant pas alarmer le Docteur Elwin pour rien.

Ils progressaient maintenant le long d'une arête en lame de couteau, entre une obscurité profonde et le pâle miroitement d'un champ de neige. Ce ne serait vraiment pas l'endroit, ne pouvait s'empêcher de se dire Harper, pour être pris dans une tourmente.

A peine avait-il formulé cette pensée que la bourrasque fut sur eux. Une rafale hurlante surgit de nulle part, semblait-il, comme si la montagne avait économisé ses forces pour cet instant. Ils n'eurent pas le temps de faire quoi que ce soit : même avec leur poids normal, ils auraient été balayés. En quelques secondes, le vent les avait emportés au-dessus d'un vide empli d'ombres et de ténèbres.

Il était impossible d'évaluer la profondeur qu'ils avaient au-dessous d'eux : lorsque Harper se força à baisser les yeux, il ne vit rien. Bien que le vent semblât l'emporter presque à l'horizontale, il savait qu'il devait être en train de tomber : son poids résiduel l'entraînait vers le bas à un quart de la vitesse normale. Cela suffisait amplement : s'ils tombaient de douze cents mètres, ce serait une piètre consolation de savoir que cela ne ferait l'effet que d'une chute de trois cents mètres !

Harper n'avait pas encore eu le temps d'avoir peur — cela viendrait plus tard, s'il survivait — et il s'inquiétait surtout, c'était assez ridicule, des dommages que pourrait subir la coûteuse Lévitatrice. Il avait complètement oublié son compagnon, car dans une telle situation critique l'esprit n'a de place que pour une idée à la fois. La brusque tension de la corde de nylon alarma Harper, qui resta un instant sans comprendre ; puis il vit le Docteur Elwin qui tournait lentement autour de lui au bout de la corde comme une planète autour de son soleil.

Cela le ramena brutalement à la réalité, et à la conscience de ce qu'il fallait faire. Sa paralysie avait probablement duré une fraction de seconde. Il cria dans le vent : « Docteur ! Utilisez la portance de secours ! » Et, tout en parlant, il cherchait à tâtons sur le boîtier de commande le plomb de sécurité, l'arrachait et enfonçait le bouton.

Aussitôt son équipement se mit à bourdonner comme une ruche d'abeilles en colère. Il sentit la brusque traction du harnachement qui tentait de soulever son corps dans le ciel pour le soustraire à la mort qui l'attendait, invisible, en bas. Les calculs gravitationnels simples vinrent s'inscrire dans son esprit en lettres de feu : un kilowatt peut soulever cent kilogrammes à un mètre par seconde, et les appareils convertissaient l'énergie jusqu'à un taux de dix kilowatts — ils ne pouvaient pourtant donner ainsi leur maximum que pendant une minute. En tenant compe de sa réduction de poids initiale, il devrait donc s'élever d'une bonne trentaine de mètres par seconde.

Il y eut une violente secousse sur la corde : celle-ci se tendait entre lui et le Docteur Elwin, plus lent à appuyer sur le bouton de secours ; mais lui aussi s'élevait maintenant. Ce serait une course de vitesse entre la puissance élévatrice de leurs appareils et le vent qui les emportait vers la paroi glacée du Lho-Tsé, à peine à trois cents mètres maintenant.

Cette muraille rocheuse striée de neige se dressait au-dessus d'eux au clair de lune, vague pétrifiée. Il était impossible d'estimer leur vitesse avec précision, mais ils ne pouvaient guère faire moins de quatre-vingts kilomètres à l'heure. Même s'ils survivaient au choc, ils ne pouvaient escompter s'en tirer sans blessures graves ; et être blessé, ici, c'était être condamné à mort.

Alors, juste au moment où une collision semblait inévitable, le courant se fit brusquement ascendant, les emportant vers le ciel. Ils franchirent la crête avec une marge confortable : une bonne quinzaine de mètres. Cela semblait tenir du miracle ; mais, quand l'ivresse du soulagement se fut dissipée, Harper se rendit compte qu'ils ne devaient leur salut qu'à l'aérodynamique élémentaire : pour passer la montagne, le vent ne pouvait faire autrement que de s'élever ; il redescendrait de l'autre côté — mais cela n'avait plus d'importance, car le ciel devant eux était dégagé.

Ils voguaient maintenant en paix sous les nuages déchiquetés. Leur vitesse n'avait pas diminué, mais le rugissement du vent s'était tu brusquement, car ils se déplaçaient avec lui dans le vide. Ils pouvaient même converser à leur aise, par-dessus la dizaine de mètres d'espace qui les séparait encore.

« Docteur Elwin ! » lança Harper. « Ça va ? »

« Oui, George », répondit le savant avec le plus grand calme. « Et maintenant, qu'est-ce qu'on fait ? »

« Il faut cesser de monter, sinon nous ne pourrons plus respirer, même avec les filtres. »

« Vous avez raison. On va rétablir l'équilibre. »

Le bourdonnement rageur des appareils se réduisit à un murmure électrique à peine audible lorsqu'ils coupèrent les circuits d'urgence. Pendant quelques minutes, ils jouèrent au yoyo sur leur corde de nylon : ils montaient et descendaient l'un par rapport à l'autre, jusqu'à ce qu'ils eussent enfin harmonisé leur portance. Ils dérivaient alors un peu au-dessous de quatre mille mètres. A moins d'une défaillance des Lévites — ce qui, après le surcroît d'effort qui leur avait été demandé, n'était pas à exclure —, ils étaient tirés d'affaire dans l'immédiat.

Leurs ennuis commenceraient lorsqu'ils tenteraient de regagner le sol.

Jamais, dans tout le cours de l'histoire, hommes n'avaient vu se lever aube plus étrange. Ils étaient fatigués et ankylosés, ils avaient froid, l'air sec et raréfié leur râpait la gorge à chaque inspiration ; mais ils oublièrent tous ces maux lorsque la première lueur pâle s'étendit sur l'horizon déchiqueté à l'est. Les étoiles s'évanouirent l'une après l'autre ; la dernière à disparaître, quelques minutes seulement avant le point du jour, fut la plus brillante de toutes les stations spatiales, Pacifique III, suspendue à trente-cinq mille kilomètres au-dessus d'Hawaii. Puis le soleil s'éleva au-dessus d'un océan de pics anonymes : le jour himalayen venait de poindre.

On aurait dit un lever de Soleil sur la Lune. D'abord, seules les plus hautes montagnes étaient touchées par les rayons rasants, tandis que les vallées voisines restaient inondées de ténèbres. Mais lentement la frontière de la lumière descendait le long des pentes rocheuses, et une part croissante de ce pays rude et peu engageant faisait son entrée dans le nouveau jour.

Maintenant, si on regardait avec assez d'attention, il était possible de voir des signes de vie humaine. Il y avait quelques routes étroites, de minces colonnes de fumée s'élevaient de villages isolés, le soleil se reflétait sur les toits de quelque monastère. Le monde en bas s'éveillait, totalement ignorant des deux spectateurs suspendus par magie quatre mille cinq cents mètres au-dessus.

Pendant la nuit, le vent avait dû changer de direction plusieurs fois, et Harper n'avait aucune idée de l'endroit où ils se trouvaient. Il ne reconnaissait pas un seul repère géographique. Ils pouvaient se trouver n'importe où, au Népal ou au Tibet, dans une bande de huit cents kilomètres de long.

Dans l'immédiat, le problème était de trouver un endroit où se poser — et de toute urgence, car ils dérivaient rapidement vers un chaos de pics et de glaciers où ils ne pourraient guère escompter trouver de l'aide. Le vent les emportait vers le nord-est, en direction de la Chine. S'ils touchaient terre là-bas, par-delà les montagnes, il leur faudrait peut-être des semaines pour prendre contact avec un des Centres de Lutte contre la Famine des Nations-Unies et se faire rapatrier. Cela pourrait même comporter un certain danger pour leurs personnes s'ils tombaient du ciel dans une région peuplée seulement de paysans illettrés et superstitieux.

« Nous ferions bien de descendre rapidement », dit Harper. « Ces montagnes ne m'inspirent pas confiance. » Ses paroles semblèrent se perdre dans le vide où ils flottaient. Bien que le Docteur Elwin ne fût qu'à trois mètres de lui, il était facile d'imaginer qu'il n'entendait rien de ce qu'il lui disait. Mais finalement le Docteur fit un signe de tête d'acquiescement, comme à regret.

« Vous avez hélas raison ! Mais je ne suis pas sûr que nous y parvenions, avec ce vent. Vous vous souvenez que nous ne pouvons pas descendre aussi vite que nous pouvons monter. »

Ce n'était que trop vrai : il fallait dix fois plus de temps pour charger les blocs énergétiques que pour les décharger. Perdre de l'altitude et leur réinjecter de l'énergie gravitationnelle trop vite provoquerait une surchauffe et probablement une explosion. Sursautant au bruit, les Tibétains (à moins que ce ne fussent des Népalais) penseraient qu'une grosse météorite venait d'éclater dans leur ciel. Et personne ne saurait jamais ce qu'il était advenu du Docteur Jules Elwin et de son jeune assistant si prometteur.

A quatre mille cinq cents mètres au-dessus du sol, Harper se mit à craindre l'explosion à tout instant. Ils tombaient rapidement, mais pas assez rapidement : bientôt il leur faudrait ralentir, pour ne pas prendre contact à trop grande vitesse. Pour aggraver les choses, ils avaient estimé la vitesse de l'air au niveau du sol de façon tout à fait erronée : ce vent infernal, imprévisible, soufflait à nouveau presque en tempête. Des traînées de neige, arrachées aux crêtes exposées, flottaient comme des étendards fantomatiques. Tant qu'ils suivaient le mouvement du vent, ils n'avaient pas conscience de sa puissance ; maintenant il leur fallait à nouveau affronter le périlleux passage entre la dure opiniâtreté du roc et la molle tolérance du ciel.

Le courant d'air les engouffrait dans un canyon. Ils

n'avaient aucune chance de s'élever au-dessus. Ils n'avaient plus de choix : il leur faudrait se poser à l'endroit le plus propice qu'ils trouveraient.

Le canyon formait un entonnoir qui se rétrécissait à une allure effrayante. Ce n'était guère plus maintenant qu'une faille verticale, et les parois rocheuses défilaient à cinquante ou soixante kilomètres à l'heure. De temps en temps, des tourbillons les ballottaient à droite puis à gauche, et ils n'évitaient parfois le choc que de quelques dizaines de centimètres. Une fois où ils passaient à quelques mètres seulement au-dessus d'une corniche couverte de neige épaisse, Harper fut tenté de déclencher le largage d'urgence de sa Lévitatrice. Mais ce serait tomber de Charybde en Scylla : il se pourrait bien qu'ils n'atteignissent la terre ferme sains et saufs que pour se trouver prisonniers à une distance inconnue de tout secours possible.

Pourtant, même devant cette recrudescence du danger, il n'éprouva guère de peur. Tout cela semblait un rêve exaltant, un rêve dont il allait s'éveiller bientôt pour se retrouver dans son lit, en toute sécurité. Il était impossible qu'une aventure aussi fantastique fût vraiment en train de lui arriver à lui...

« George ! » cria le Docteur. « C'est maintenant qu'il faut saisir notre chance ! Regardez ce rocher : si nous pouvons l'accrocher... »

Ils n'avaient que quelques secondes pour agir. Tout de suite, ils se mirent tous deux à laisser filer la corde de nylon pour la laisser pendre en une grande boucle dont la partie la plus basse était à un mètre seulement du sol qui défilait au-dessous d'eux. Un grand rocher, qui faisait une demi-douzaine de mètres de haut, se trouvait exactement sur leur ligne de vol ; au-delà, une large avenue de neige promettait un atterrissage raisonnablement amorti.

la corde ripa sur les courbes inférieures du rocher, parut sur le point de glisser librement dessus, puis se prit sous un surplomb. Harper sentit une secousse brutale, puis se mit à tournoyer comme une pierre au bout d'une fronde.

Je n'aurais jamais pensé que la neige pût être aussi dure, se dit-il. Puis il y eut une vive et brève explosion de lumière ; puis plus rien...

Il était de nouveau à l'université, dans la salle de cours. Un des maîtres de conférences parlait, d'une voix qui était familière, et pourtant ne semblait pas à sa place. Dans une demi-torpeur et sans conviction, il passa en revue les noms de ses professeurs de faculté. Non, ça ne pouvait être aucun d'entre eux. Cependant, il connaissait fort bien cette voix, et sans aucun doute elle faisait un exposé à *quelqu'un*.

« ... encore fort jeune quand il me vint à l'esprit qu'il y avait quelque chose qui clochait dans la théorie de la gravitation d'Einstein. En particulier, il semblait y avoir une erreur à la base du Principe d'Equivalence, selon lequel il n'y a aucun moyen de faire une distinction entre les effets produits par la gravitation et ceux de l'accélération.

« Mais de toute évidence c'est faux : on peut créer une accélération uniforme, tandis qu'un champ gravitationnel uniforme est impossible, puisqu'il est inversement proportionnel au carré de la distance, et doit donc varier même sur de très courtes distances. Aussi est-il aisé de mettre au point des tests permettant de distinguer les deux cas, et ceci m'a conduit à me demander si... »

Ces mots prononcés doucement ne marquaient pas davantage l'esprit de Harper que s'il s'était agi d'une langue étrangère. Il se rendait compte obscurément qu'il aurait dû comprendre tout ça, mais cela demandait trop d'efforts d'en chercher le sens. D'ailleurs, la première question était de savoir où il se trouvait.

A moins qu'il eût quelque chose aux yeux, il était dans l'obscurité complète. Il s'efforça de cligner des yeux, ce qui lui fit si atrocement mal à la tête qu'il poussa un cri de douleur.

« George ! Ça va ? »

Bien sûr ! C'était la voix du Docteur Elwin qu'il avait entendu parler doucement dans l'obscurité. Mais parler à *qui* ?

« J'ai une affreuse migraine. Et j'ai mal au côté quand j'essaie de bouger. Que s'est-il passé ? Pourquoi fait-il noir ? »

« Vous souffrez de commotion. Et je pense que vous vous êtes fêlé une côte. Ne parlez pas plus qu'il n'est besoin. Vous êtes resté inconscient la plus grande partie de la journée. Il fait nuit de nouveau, et nous sommes à l'intérieur de la tente. J'économise les piles. »

L'éclat de la lampe-torche allumée par le Docteur Elwin aveugla presque Harper, qui vit autour d'eux les parois de la petite tente. Quelle chance qu'ils aient emporté un équipement de montagne complet, juste au cas où ils seraient bloqués sur l'Everest. Mais peut-être cela ne ferait-il que prolonger leur agonie...

Il était surpris que le savant, avec son infirmité, eût réussi sans aide à déballer tout leur attirail, à dresser la tente et à le tirer à l'intérieur. Tout était disposé en bon ordre : la trousse de premiers secours, les boîtes de nourriture concentrée, les bidons d'eau, les petites bouteilles de gaz rouges pour le réchaud portatif. Seules manquaient les volumineuses Lévitatrices ; elles avaient probablement été laissées dehors pour donner plus de place.

« Vous parliez à quelqu'un quand j'ai repris conscience », dit Harper. « A moins que j'aie rêvé ? » Bien que la lumière indirecte réfléchie par les parois de la tente ne l'aidât guère à déchiffrer l'expression d'Elwin, il put voir que celui-ci était embarrassé. Il comprit tout de suite pourquoi, et regretta d'avoir posé la question.

Le savant ne croyait pas qu'ils allaient en réchapper : il avait enregistré ses réflexions pour le cas où l'on découvrirait un jour leurs corps. Harper se demanda, la mort dans l'âme, si Elwin avait déjà dicté ses dernières volontés et son testament.

Sans lui laisser le temps de répondre, il changea promptement de sujet : « Avez-vous alerté les Services de Secours ? »

« J'ai lancé un appel toutes les demi-heures, mais je crains bien que les montagnes fassent écran : je les entends, mais eux ne nous reçoivent pas. »

Le Docteur Elwin prit en main le petit émetteur-récepteur, qu'il portait normalement sanglé à son poignet, et mit le contact.

« Ici Service de Secours n° 4 », fit faiblement une voix sans timbre. « Parlez, on vous écoute. »

Pendant les cinq secondes de silence qui suivirent, le Docteur Elwin appuya sur le bouton de S.O.S., puis attendit.

« Ici Service de Secours n° 4. Parlez, on vous écoute. »

Ils attendirent une bonne minute, mais on n'accusa pas réception de leur appel. Eh bien ! se dit Harper avec une sombre résignation, il est trop tard pour se faire des reproches l'un à l'autre maintenant. Plusieurs fois au cours de leur dérive aérienne au-dessus des montagnes, ils avaient envisagé de se signaler au Service de Secours central, et après discussion avaient décidé de n'en rien faire, en partie parce que cela semblait vain tant qu'ils étaient encore en l'air, en partie à cause de la regrettable publicité qui s'ensuivrait inévitablement. Il était trop facile de faire montre de sagesse a *posteriori* : qui aurait pu songer qu'ils se poseraient à l'un des rares endroits qui fût hors de portée du Service de Secours ?

Le Docteur Elwin coupa le contact, et l'on n'entendit plus dans la petite tente que le faible gémissement du vent contre ces murailles entre lesquelles ils étaient doublement enfermés : pas d'évasion, et pas de communication.

« Ne vous en faites pas », dit-il enfin. « D'ici demain matin, nous trouverons bien une solution. On ne peut rien faire avant l'aube, sinon nous mettre à l'aise. Buvez donc un peu de cette soupe chaude. »

Quelques heures plus tard, Harper ne souffrait plus du mal de tête ; et, tout en craignant bien d'avoir effectivement une côte fêlée, il avait trouvé une position qui était confortable tant qu'il ne bougeait pas : il se sentait presque en paix avec le monde.

Il était passé par des phases successives de désespoir, de colère contre le Docteur Elwin, et d'auto-accusation pour s'être embarqué dans une aussi folle entreprise. Maintenant il avait retrouvé son calme, bien que son esprit, en quête de moyens d'évasion, fût trop actif pour se laisser aller au sommeil.

A l'extérieur de la tente, le vent était presque entièrement tombé, et la nuit était très paisible. Il ne faisait plus totalement sombre, car la Lune s'était levée ; ses rayons ne pouvaient les atteindre directement, mais un peu de lumière devait être réfléchie par les neiges qui les dominaient : Harper percevait, à la limite de la vision, une très faible lueur qui filtrait à travers les parois calorifuges mais translucides de la tente.

D'abord, se disait-il, ils n'étaient pas en danger dans l'immédiat. Ils avaient des vivres pour au moins une semaine, et il ne manquait pas de neige que l'on pouvait faire fondre pour obtenir de l'eau. Dans un jour ou deux, si sa côte était sage, ils pourraient peut-être reprendre leur vol, avec cette fois, espérait-il, de meilleurs résultats.

Un curieux bruit sourd et mou, qui ne venait pas de très loin, intrigua Harper ; il finit par comprendre qu'une masse de neige avait dû tomber quelque part. La nuit était maintenant si extraordinairement silencieuse qu'il s'imaginait presque entendre ses propres battements de cœur, et chaque souffle de son compagnon endormi semblait être anormalement fort.

Curieux comme l'esprit se laisse distraire par des détails dérisoires ! Il concentra à nouveau ses pensées sur le problème de la survie. Même si lui-même était hors d'état de se déplacer, le Docteur pourrait tenter seul l'évasion aérienne : c'était un cas où un homme aurait autant de chances de succès que deux.

On entendit une autre de ces chutes molles, un peu plus bruyante cette fois. Il était un peu bizarre, songea fugacement Harper, que la neige se déplaçât dans l'immobilité froide de la nuit. Pourvu qu'il n'y ait pas de risque de glissement ! N'ayant pas eu le temps de voir clairement les lieux où ils s'étaient posés, il ne pouvait estimer le danger. Il se demanda s'il ne devrait pas éveiller le Docteur, qui avait dû observer les alentours avant de dresser la tente ; fataliste, il décida de n'en rien faire : si une avalanche était bel et bien imminente, il était improbable qu'ils pussent faire grand-chose pour y échapper.

Pour en revenir au problème numéro un, il y avait une solution intéressante qui valait la peine d'être envisagée : attacher l'émetteur à une des Lévites et envoyer l'ensemble dans le ciel. Le signal serait capté dès que l'appareil émergerait du canyon, et le Service de Secours les retrouverait en quelques heures, ou au plus en quelques jours.

Certes, cela impliquerait le sacrifice d'une Lévite ; et si ça n'avait pas de résultat, ils se retrouveraient dans une situation encore plus critique. Mais quand même...

Qu'est-ce que c'était que ça ? Ce n'était pas une chute sourde de neige molle. C'était le claquement, faible mais très reconnaissable, d'un caillou contre un autre. Et les cailloux ne bougeaient pas tout seuls !

Ton imagination bat la campagne, se dit Harper. Quelqu'un, ou quelque chose, en train de se mouvoir au milieu de la nuit dans les parages d'un des hauts cols himalayens ? Quelle idée ridicule ! Mais Harper eut soudain la gorge sèche, et sentit sa nuque se hérisser. Il avait entendu *quelque chose,* impossible de le révoquer en doute.

Au diable le souffle du Docteur ! Impossible avec un tel bruit de distinguer les sons venant de l'extérieur ! Cela signifiait-il qu'Elwin, bien que profondément endormi, avait aussi été alerté par son subconscient toujours vigilant ? Voilà l'imagination repartie...

Clac !

C'était peut-être plus rapproché ; cela venait en tout cas d'une direction différente. On aurait dit que quelque chose, dans un silence prodigieux mais non absolu, faisait lentement le tour de la tente. A cet instant, George Harper aurait ardemment souhaité n'avoir jamais entendu parler de l'Abominable Homme des Neiges. Il en savait certes fort peu à son sujet, mais c'était encore beaucoup trop !

Le Yéti, comme l'appelaient les Népalais, était, il s'en souvenait, un mythe himalayen persistant depuis plus de cent ans. Monstre dangereux, plus grand qu'un homme, il n'avait jamais été capturé, photographié ni même décrit par des témoins dignes de foi. La plupart des Occidentaux étaient persuadés que c'était un pur fantasme, et restaient tout à fait sceptiques devant les maigres preuves — traces dans la neige, lambeaux de peau conservés dans d'obscurs monastères. Les tribus des montagnes gardaient leurs convictions. Et maintenant Harper craignait qu'elles eussent raison.

Cependant, rien d'autre n'arriva pendant de longues secondes ; et sa peur se mit à se dissiper lentement. Peut-être son imagination mise à rude épreuve lui avait-elle joué des tours : vu les circonstances, ce ne serait guère surprenant. Délibérément, résolument, au prix d'un gros effort de volonté, il tourna à nouveau ses pensées vers le problème du sauvetage. Il était en bonne voie, lorsque quelque chose vint se cogner contre la tente.

Si les muscles de sa gorge n'avaient pas été paralysés par la terreur, il aurait hurlé. Il était incapable de faire le moindre mouvement. Alors, près de lui dans l'ombre, il entendit le Docteur Elwin s'agiter, à moitié endormi encore.

« Que se passe-t-il ? » marmonna le savant. « Vous n'êtes pas bien ? »

Harper sentit son compagnon se retourner ; il comprit qu'il cherchait la lampe-torche à tâtons. Il aurait voulu chuchoter : « Pour l'amour du ciel, restez tranquille ! » Mais ses lèvres desséchées ne laissaient pas passer un mot. On entendit un déclic, et le faisceau de la lampe fit un cercle brillant sur la paroi de la tente.

Cette paroi était maintenant bombée vers eux, comme si une lourde masse s'y appuyait. Et au centre du renflement se dessinait, sans qu'il soit possible de s'y tromper, l'empreinte déformée d'une main ou d'une serre. Elle n'était qu'à une soixantaine de centimètres du sol : la chose qui était là dehors semblait s'être mise à genoux pour tripoter le tissu de la tente.

La lumière la dérangea sans doute, car l'empreinte disparut soudain, et la souple toile de tente redevint plate. Un sourd grondement de hargne se fit entendre ; puis, pour un temps, ce fut le silence.

Harper s'aperçut qu'il respirait de nouveau. A tout instant, il s'était attendu à voir la tente se déchirer, et quelque inimaginable horreur fondre sur eux. Au lieu de quoi, de façon presque burlesque, il n'y eut que le gémissement faible et lointain d'une rafale de vent passagère dans les montagnes, bien plus haut. Harper fut pris de frissons irrépressibles ; ça n'avait rien à voir avec la température, car leur petit monde isolé était tiède et douillet.

Puis vint un son familier : le tintement d'une boîte de conserve vide contre la pierre ; et, comme un vieil ami retrouvé, cela eut le don de détendre un peu l'atmosphère. Harper retrouva enfin la faculté de parler, ou du moins de chuchoter : « Il a trouvé nos réserves de vivres. Peut-être va-t-il s'en aller, maintenant. »

Un grondement sembla presque lui répondre : il exprimait colère et déception. Puis il y eut le bruit d'un coup, et le cliquetis de bidons qui partaient en roulant dans la nuit. Harper se rappela brusquement que tous les vivres étaient dans la tente ; dehors il n'y avait que les emballages à jeter. Ce n'était pas une pensée rassurante : il regretta que, comme les montagnards superstitieux, ils n'eussent pas laissé une offrande pour tous dieux ou démons qui pouvaient surgir des montagnes.

Ce qui se produisit ensuite fut si soudain, si totalement inattendu, que tout fut terminé avant qu'il eût le temps de réagir. Il y eut un bruit de mouvement confus, un choc contre le rocher ; puis un bourdonnement électrique familier, suivi d'un grognement de surprise qui se mua en un hurlement à vous glacer le sang dans les veines. La fureur impuissante qui s'y exprimait se changea vite en pure terreur, cependant qu'il décroissait et s'éloignait en montant vite, toujours plus vite, dans le ciel vide.

Ce son qui faiblissait déclencha dans l'esprit de Harper le souvenir adéquat. Il avait vu une fois un film du début du xxᵉ siècle sur la conquête de l'air ; une des séquences, qui montrait le lancement d'un dirigeable, était atroce : quelques membres de l'équipe au sol étaient restés cramponnés aux amarres quelques secondes de trop, et avaient été emportés dans le ciel, comme des marionnettes au bout de leurs ficelles, jusqu'à ce que, l'un après l'autre, ils lâchent prise et aillent s'écraser au sol.

Harper attendit le bruit sourd de la chute au loin, mais en

vain. Puis il se rendit compte que le Docteur répétait sans cesse : « J'avais laissé les deux appareils attachés ensemble. J'avais laissé les deux appareils attachés ensemble. »

Mais il apprit cela sans s'en inquiéter, tant il était encore en état de choc. Tout ce qu'il ressentait, avec un admirable détachement scientifique, c'était la déception : maintenant, il ne saurait jamais exactement ce qui avait rôdé autour de leur tente, dans la solitude des heures qui précèdent l'aube himalayenne.

Un des hélicoptères de secours en montagne, piloté par un Sikh encore très sceptique — tout ça sentait la farce ingénieusement montée —, vint fouiner dans le canyon à la fin de l'après-midi. Le temps qu'il se pose en faisant voltiger la neige, et le Docteur Elwin était déjà en train de faire des signes frénétiques d'un bras, tout en s'appuyant de l'autre au cadre de la tente.

En reconnaissant le savant infirme, le pilote se sentit presque envahi de révérence superstitieuse : ainsi, le rapport devait être vrai ; nul autre moyen n'aurait permis au Docteur Elwin d'atteindre un tel endroit. Et cela signifiait que tout ce qui volait dans les cieux de la Terre et au-dessus était, dès cet instant, aussi suranné que le char à bœufs.

« Dieu merci, vous nous avez trouvés », dit le Docteur avec une gratitude non feinte. « Comment êtes-vous venus si vite ? »

« Vous pouvez en rendre grâce aux réseaux de repérage radar et aux télescopes des stations météo en orbite. Nous serions arrivés plus tôt, mais nous avons d'abord cru qu'il s'agissît d'un canular. »

« Je ne vois pas ce que vous voulez dire. »

« Qu'auriez-vous pensé, quant à vous, Docteur, si on vous avait signalé un léopard des neiges tout ce qu'il y a de plus mort, pris dans un enchevêtrement de sangles et de coffrets... et qui maintenait une altitude constante de vingt-sept mille mètres ? »

A l'intérieur de la tente, Harper se mit à rire, malgré la souffrance que cela lui causait. Le Docteur passa la tête par l'ouverture et lui demanda avec inquiétude : « Qu'est-ce qui vous arrive ? »

« Rien, rien... ouille ! Je me demandais seulement comment on allait faire redescendre cette pauvre bête avant qu'elle constitue un danger pour la navigation aérienne. »

« Ma foi, il va falloir que quelqu'un monte là-haut avec une autre Lévite et appuie sur les boutons. Il faudrait peut-être prévoir une télécommande par radio sur tous les appareils... »

La voix du Docteur Elwin mourut au milieu de la phrase. Il était bien loin déjà, perdu dans des rêves qui changeraient la face du monde... de nombreux mondes.

Bientôt il allait descendre des montagnes, nouveau Moïse portant les lois d'une civilisation nouvelle. Car il allait rendre à toute l'humanité la liberté perdue il y a si longtemps, quand les premiers amphibiens quittèrent leur patrie sous-marine où la pesanteur ne les affectait pas.

Après un milliard d'années, la bataille contre la gravité se terminait.

The Cruel Sky.
Première publication : *Boy's Life*, juillet 1967.

MARÉE NEUTRONIQUE

« Par égard pour les familles », expliqua le capitaine de frégate E. Sharp avec une délectation morbide, « on n'a jamais révélé toute la vérité sur la dernière mission du supercroiseur *Flatbush*. Vous n'êtes pas sans savoir que nous l'avons perdu pendant la guerre contre les Mucoïdes. »

Nous avons tous frémi : maintenant encore le seul nom des monstres gélatineux qui avaient afflué en bavant vers la Terre, venant en gros de la direction du Sac-de-Charbon, évoquait des souvenirs nauséeux.

« Je connaissais bien son commandant, Karl van Rinderpest, héros de l'assaut final contre la planète dont le nom ne se prononce pas mais se hurle : Yîîtch ! »

Il nous laissa poliment le temps de nous déboucher les oreilles et d'éponger les boissons renversées.

« *Flatbush* venait de lancer une salve d'inverseurs de probabilités contre le monde des Mucoïdes, et reprenait le large en formation de combat avec trois destroyers — un russe, le *Lieutenant Kijé* ; un israélien, le *Chutzpah* ; et un britannique, *H.M.S. Insufferable*. Ils étaient encore en phase d'accélération lorsqu'un accident hautement improbable se produisit : *Flatbush* se jeta droit dans le puits gravifique d'un astre neutronique. »

Une fois apaisées nos expressions d'horreur et d'incrédulité, il reprit gravement : « Oui, une sphère de matière ultraconcentrée, de quinze kilomètres de diamètre seulement, et pourtant égale en masse à un soleil ; d'où une force gravitationnelle en surface égale à cent milliards de fois celle de la Terre.

« Les autres navires eurent de la chance : ils passèrent seulement en lisière du champ et parvinrent à y échapper, bien que leurs orbites fussent déviées de presque cent quatre-vingts degrés. Mais *Flatbush,* selon les calculs que nous fîmes plus tard, a dû passer à quelques dizaines de kilomètres de cette inconcevable concentration de masse, et a donc subi de plein fouet son flux violent.

« Or, dans tout champ gravitationnel normal — même celui d'une Naine Blanche, qui peut atteindre un million de g terrestres — on ne fait que contourner le centre d'attraction pour repartir dans l'espace, sans ressentir le moindre effet. Au point le plus proche, l'accélération peut être de centaines ou de milliers de g, mais on est encore en chute libre, de sorte qu'on n'est pas physiquement affecté. Excusez-moi de m'appesantir sur de telles évidences, mais je sais que tout le monde ici n'a pas l'esprit scientifique. »

C'était sans doute une pique à l'adresse du Trésorier-Payeur Général de la Flotte, Geldclutch, dit « Doigts Crochus » ; mais ce dernier ne broncha pas, car il en était à son cinquième verre de Liqueur du Bonheur martienne.

« Mais ce que je viens de dire ne s'applique pas à un astre neutronique. Près du centre de la masse, le gradient gravitationnel — c'est-à-dire le coefficient selon lequel l'attraction varie avec la distance — est tellement énorme que, même d'un bord à l'autre d'un corps aux dimensions modestes comme un vaisseau spatial, il peut y avoir une différence de cent mille g. Inutile de vous dire quel peut être l'effet d'un tel champ sur tout objet matériel.

« *Flatbush* a dû être mis en pièces presque instantanément, et les pièces elles-mêmes ont dû se déformer comme si elles étaient liquides pendant les quelques secondes qu'il leur fallut pour contourner l'étoile. Puis les fragments sont repartis dans l'espace.

« Des mois plus tard, un balayage radar a permis au Service de Sauvetage de repérer quelques-uns des débris. Je les ai vus : des morceaux de métaux les plus résistants que nous possédions tordus en des formes surréalistes comme du caramel mou.

« Un seul article était encore reconnaissable : il devait provenir de la boîte à outils de quelque infortuné mécanicien. »

La voix du Capitaine faiblit jusqu'à être presque inaudible, et il écrasa une larme virile.

« Cela me fait vraiment mal de le dire », acheva-t-il avec un soupir, « mais le seul fragment identifiable de cette unité qui avait été l'orgueil de la Flotte Spatiale des Etats-Unis, c'était... une tarière envoilée. »

Neutron Tide.
Première publication : *Galaxy,* mai 1970.

Toutes ces impressionnantes notions d'astrophysique pour aboutir à un jeu de mots, vraiment, Monsieur Clarke, ce n'est pas sérieux ! On comprend pourquoi j'ai cette fois évité de rien dire avant : il ne fallait pas vendre la mèche. Pourtant, Clarke laisse dès le début pointer le bout de l'oreille, par le choix de certains noms propres : « Rinderpest » signifie en allemand « peste bovine », et « Chutzpah » est un mot yiddish qui veut dire « culot ». Inutile de préciser que l'unité de Sa Gracieuse Majesté porte la non moins gracieuse appellation d'« insupportable », et que « Lieutenant Kijé », avant d'être le pseudonyme d'un auteur de SF français pour le moins discuté, a été le nom d'un officier russe imaginé par ses camarades, thème sur lequel Prokofiev a composé une délicieuse musique. Je me suis permis d'adapter le nom du narrateur, à l'origine « Cummerbund », mot d'origine ourdou qui désigne une large ceinture d'étoffe. Quant à « Flatbush » (mot à mot « buisson plat »), c'est « un nom qui fait rire les Américains, comme celui de [la ville de] Wigan les Anglais, sans raison précise » (lettre personnelle de l'auteur, 26 septembre 1982) ; par un heureux hasard, ce nom fait jeu de mots en français : un « flatte-bouche », c'est en somme, pour un astre neutronique, un amuse-gueule !

PASSAGE DE LA TERRE

Entre la composition de « The Cruel Sky » et celle de « Neutron Tide » en janvier 1970, il s'était écoulé plus de trois ans : le travail avec Kubrick sur 2001 semblait avoir épuisé les capacités créatrices de Clarke ! Mais, mis en appétit par son « flatte-bouche », il concocte dès le mois suivant un mets plus substantiel. Sans être une de ses nouvelles les plus longues, « Transit of Earth » est une des plus achevées et aussi des plus typiques de lui : sa science (tout ce qu'on sait de l'espace et des planètes) fournit le cadre d'une aventure future parfaitement plausible, et sa conscience (expérience personnelle de la mer, souvenir de grands hommes comme Scott et Cook — cf. Livre d'or p. 7) donne vie à un personnage très humain.

Cet avant-dernier texte du recueil fait pendant au second : c'est sur Mars cette fois, et non plus sur la Lune, que le héros est confronté à la mort, inexorablement, mathématiquement. Et l'auteur ne consent pas à tricher pour le sauver in extremis : il rejette — tout comme dans « Point de rupture » (cf. Livre d'or p. 59) — les solutions miracles que d'aucuns se plaisent à imaginer. Une fois encore, c'est donc un modèle de science-fiction classique. Mais, si Clarke refuse la romantique certitude de l'incertain (l'esprit Planète, cf. Livre d'or p. 38), il fait cependant à l'incertain la place qui est la sienne, comme on le verra vers la fin de cette histoire.

Essais : un... deux... trois... quatre... cinq...

Evans au micro. Je vais continuer à enregistrer aussi long-temps que possible. Ceci est une capsule de deux heures, mais je doute de la remplir.

Cette photo m'a obsédé toute ma vie ; maintenant, trop tard, je sais pourquoi. (Mais cela aurait-il changé quoi que ce soit si je l'avais su ? C'est une de ces questions absurdes auxquelles il est impossible de répondre, et que l'esprit ressasse sans arrêt, comme la langue revient sans cesse tâter une dent cassée.)

Je ne l'ai pas vue depuis des années, mais je n'ai qu'à fermer les yeux pour me retrouver dans un paysage presque aussi hostile — et aussi beau — que celui-ci : quatre-vingts millions de kilomètres plus près du Soleil et soixante-douze ans plus tôt, cinq hommes face à l'objectif parmi les neiges antarctiques ; même les volumineuses fourrures ne peuvent dissimuler l'épuisement et l'échec qu'exprime chaque ligne de leur corps ; et leur visage est déjà marqué par la mort.

Ils étaient cinq ; nous étions cinq aussi ; et, bien entendu, nous avons également pris une photographie de groupe. Mais à part cela, tout était différent : nous étions souriants, gais, confiants ; et dix minutes plus tard notre image était sur tous les écrans de la Terre, alors qu'il a fallu des mois pour retrouver leur appareil-photo à eux et le ramener à la civilisation.

Et c'est dans le confort que nous mourons, entourés de toutes les commodités modernes, dont un grand nombre n'auraient jamais pu être imaginées par Robert Falcon Scott lorsqu'il se trouvait au Pôle Sud en 1912.

Deux heures plus tard (j'indiquerai l'heure exacte lorsque cela deviendra important).

Tous les faits sont consignés dans le livre de bord, et déjà le monde entier les connaît. Je fais donc ceci, je suppose, en grande partie pour trouver la paix de l'âme, pour me persuader de regarder en face l'inévitable. L'ennui, c'est que je ne sais pas quels sujets éviter, et lesquels attaquer de front. Eh bien ! Il n'y a qu'un moyen de le découvrir.

Premier point : dans vingt-quatre heures, au grand maximum, il n'y aura plus d'oxygène. Ce qui me place devant le choix classique entre trois possibilités : laisser le gaz carbonique s'accumuler jusqu'à ce que je perde conscience ; sortir et rompre l'étanchéité de la combinaison spatiale — Mars ferait alors le travail en deux minutes environ ; ou prendre un des comprimés de la trousse à pharmacie.

Accumulation de CO_2 : tout le monde dit que ça n'a rien de pénible — c'est comme si on s'endormait. C'est la vérité, je n'en doute pas. Malheureusement, dans mon cas personnel, cela s'associe avec mon cauchemar numéro un...

Ah ! si seulement je n'étais jamais tombé sur ce fichu bouquin, *Histoires vraies de la Seconde Guerre mondiale,* ou un titre de ce genre. Il y avait un chapitre sur un sous-marin allemand, découvert et renfloué après la guerre. L'équipage était encore dedans : sur chaque couchette, *deux* squelettes et, entre eux, l'unique appareil respiratoire dont chaque groupe de deux hommes avait dû se partager l'usage...

Enfin, cela du moins ne se produira pas ici. Mais je sais, sans l'ombre d'un doute, que dès que j'aurai de la difficulté à respirer, je me retrouverai dans ce *U-Boot* fatal.

Alors, la solution rapide ? Soumis à l'effet du vide, on perd conscience en dix ou quinze secondes, et ceux qui en ont réchappé disent que ce n'est pas douloureux — seulement bizarre. Mais essayer de respirer quelque chose qui est absent me ramène bien trop nettement au cauchemar numéro deux.

Cette fois, c'est une expérience personnelle. Quand j'étais gosse, je faisais beaucoup de plongée sous-marine lorsque ma famille allait en vacances aux Caraïbes. Il y avait sur un récif un vieux cargo, coulé vingt ans plus tôt, dont le pont n'était qu'à quelque deux mètres au-dessous de la surface. La plupart des écoutilles étaient ouvertes, et il était donc facile d'y pénétrer, pour y chercher des souvenirs, et chasser les gros poissons qui aiment s'abriter dans de tels endroits.

Bien entendu, c'était dangereux si on le faisait sans appareil de plongée. Aussi, quel adolescent aurait pu résister à la tentation de relever le défi ?

Mon trajet favori était le suivant : je plongeais à travers une écoutille du pont avant, je suivais à la nage sur une quinzaine de mètres une coursive vaguement éclairée par des hublots espacés de quelques mètres, puis je remontais par un court escalier, et j'émergeais par une porte dans la superstructure délabrée. Tout cela prenait moins d'une minute : plongée facile pour quelqu'un qui est en bonne forme. Cela laissait même le temps de regarder le paysage, ou de jouer en route avec quelques poissons. Parfois, pour changer, je faisais le parcours dans l'autre sens : j'entrais par la porte et je ressortais par l'écoutille.

Ce fut le cas la dernière fois. Je n'avais pas plongé depuis une semaine — il y avait eu une forte tempête, et la mer était trop mauvaise —, aussi étais-je impatient de passer à l'action.

Je pratiquai la respiration forcée à la surface pendant deux minutes environ, jusqu'à ce que je sentisse un picotement au bout des doigts, signe qu'il était temps d'arrêter. Alors, je fis un saut carpé et plongeai en douceur vers le rectangle noir de l'écoutille ouverte.

Il avait toujours l'air sinistre et menaçant : ça contribuait à rendre la chose excitante. Et sur les quelques premiers mètres, j'étais presque complètement aveugle : le contraste entre la luminosité éclatante des tropiques en surface et la pénombre qui régnait entre les ponts était tel qu'il fallait à l'œil un bon moment pour s'adapter. En général, j'avais parcouru la moitié de la coursive avant de pouvoir distinguer quoi que ce soit clairement. Puis la clarté augmentait régulièrement à mesure que j'approchais de l'écoutille ouverte, où un rayon de soleil peignait un rectangle éblouissant sur le sol de métal rouillé et couvert de bernacles.

J'avais presque atteint cet endroit lorsque je me rendis compte que, cette fois, l'éclairage ne s'améliorait pas : devant moi, nulle colonne oblique de lumière conduisant là-haut au monde de l'air et de la vie.

Je restai une seconde déconcerté, l'esprit confus : m'étais-je égaré ? Puis je compris ce qui s'était passé, et la perplexité fit place à la pure panique : l'écoutille était fermée — elle avait dû claquer à un moment donné au cours de la tempête — et elle pesait au moins un quart de tonne !

Je ne me souviens pas d'avoir fait demi-tour. Je me revois seulement en train de remonter le couloir en nageant lentement et en me disant : Ne te presse pas ; l'air que tu as dans les poumons durera plus longtemps si tu vas doucement. J'y voyais parfaitement maintenant, car mes yeux avaient eu tout le temps de s'adapter à l'obscurité. Il y avait des quantités de détails que je n'avais jamais remarqués auparavant, comme les poissons-écureuils rouges tapis dans l'ombre, les plantes et les algues vertes qui poussaient dans les petites flaques de lumière entourant les hublots, et même une botte de caoutchouc unique, apparemment en excellent état, gisant encore là où quelqu'un sans doute l'avait ôtée d'un coup de pied. Et une fois, dans un passage transversal, j'ai remarqué un gros mérou qui fixait sur moi ses yeux bulbeux, ses lèvres charnues entrouvertes, comme s'il était stupéfait de mon intrusion.

L'étau se resserrait autour de ma poitrine. Je ne pouvais plus retenir mon souffle. Pourtant l'escalier semblait encore à une distance infinie. Je laissai quelques bulles d'air s'égrener de ma bouche. Cela me fit du bien sur le coup, mais d'avoir expiré rendit la douleur dans mes poumons plus insupportable encore.

Maintenant, il n'y avait plus de raison de ménager ses forces en avançant sans se presser à coups de palmes lents et réguliers. J'extirpai les tout derniers centimètres cubes d'air de mon masque de plongée — que je sentis du coup s'aplatir sur mon nez — et les engloutis dans mes poumons altérés. En même temps, je changeai de vitesse et me propulsai en avant en mobilisant tout ce qui me restait d'énergie jusqu'au dernier atome...

Et c'est tout ce dont je me souviens, jusqu'au moment où je me retrouvai à la lumière du jour, toussant et crachant, cramponné au tronçon du mât brisé. Autour de moi, l'eau était tachée de sang, et je me demandai pourquoi jusqu'à ce qu'à ma grande surprise je découvrisse une profonde entaille dans mon mollet droit. J'avais dû me heurter à un obstacle tranchant sans même m'en apercevoir ; je ne sentais d'ailleurs toujours rien.

Ce fut pour moi la fin de la plongée sous-marine jusqu'aux débuts de mon entraînement d'astronaute dix ans plus tard ; il me fallut alors descendre dans le simulateur de gravité zéro en immersion ; mais ce n'était pas la même chose, car j'utilisais un scaphandre autonome. Je passais pourtant de mauvais quarts d'heure, et j'avais une peur bleue que les psychologues s'en aperçussent. Je veillais toujours à rester très loin de vider mon réservoir : ayant bien failli étouffer une fois, je n'avais nulle intention de courir à nouveau ce risque...

Je sais exactement quelle impression cela donnera de respirer cette glaciale bouffée du quasi-vide qui fait figure d'atmosphère sur Mars. Non merci !

Alors, pourquoi pas le poison ? Il n'y a rien contre, que je sache : le produit dont nous disposons fait effet en quinze secondes seulement, nous a-t-on dit. Mais tous mes instincts se rebiffent, même s'il n'y a pas d'autre option raisonnable.

Le capitaine Scott avait-il du poison sur lui ? J'en doute. Et si c'était le cas, je suis certain qu'il ne s'en est pas servi.

Je ne vais pas réécouter cet enregistrement. J'espère qu'il a servi à quelque chose, mais je ne puis en avoir la certitude.

L'imprimante vient de transcrire un message-radio : la Terre me rappelle que le passage commence dans deux heures. Comme si je risquais de l'oublier, alors que quatre hommes sont déjà morts pour que je puisse être le premier être humain à le voir ! Et le seul pour exactement cent ans : ce n'est pas souvent que le Soleil, la Terre et Mars se placent en bel alignement comme ça ; la dernière fois, c'était en 1905, lorsque le pauvre vieux Lowell écrivait encore ses merveilleuses absurdités sur les canaux et la grande civilisation moribonde qui les avait construits. Quel dommage que tout cela ne fût qu'illusion !

Je ferais mieux de vérifier le télescope et les appareils de minutage.

Le Soleil se tient tranquille aujourd'hui, ce qui est d'ailleurs normal vers le milieu du cycle : juste quelques petites taches, et des zones de perturbation mineures autour. La météorologie solaire est au beau fixe pour des mois : c'est une chose dont les autres n'auront pas à se préoccuper sur le chemin du retour.

Ce fut là, je crois, le pire moment : regarder l'*Olympe* décoller de Phobos et remettre le cap vers la Terre. Nous avions beau savoir depuis des semaines qu'il n'y avait rien à faire, ce fut comme si la porte se refermait définitivement.

Il faisait nuit, et nous pouvions tout voir parfaitement. Phobos avait surgi à l'ouest quelques heures plus tôt, et parcourait follement le ciel à l'envers, tout en grossissant d'un petit croissant à une demi-lune. Avant d'atteindre son zénith, il disparaîtrait en plongeant dans l'ombre de Mars qui l'éclipserait.

Nous avions bien entendu écouté le compte à rebours, tout en essayant de vaquer normalement à nos tâches. Il n'était pas facile d'accepter enfin le fait que sur les quinze qui étaient venus sur Mars, seuls dix repartiraient. Il y avait encore, je pense, des millions de gens sur terre qui ne comprenaient pas. Comment auraient-ils pu admettre qu'il était impossible à l'*Olympe* de descendre de quelques malheureux six mille kilomètres pour nous récupérer ? L'Agence Spatiale avait été bombardée de plans de sauvetage tous plus fous les uns que les autres ; Dieu sait combien nous en avions conçu nous-mêmes. Mais lorsque le pergélisol avait finalement cédé sous la béquille d'atterrissage n° 3, et que le *Pégase* avait basculé, c'était le point final. Cela semble encore un miracle que le vaisseau n'ait pas explosé lorsque le réservoir de combustible se rompit...

Mais je m'égare à nouveau : revenons à Phobos et au compte à rebours !

L'écran de contrôle du télescope nous montrait clairement le plateau crevassé sur lequel l'*Olympe* s'était posé après notre séparation et le début de notre propre descente. Certes, nos amis ne se poseraient jamais sur Mars, mais du moins ils auraient leur propre petit monde à explorer : même pour un satellite aussi petit que Phobos, ça leur faisait près de quatre-vingts kilomètres carrés chacun — un bon bout de terrain pour y chercher des minéraux étranges et des débris venus de l'espace, ou pour y graver son nom afin que les générations à venir sachent que l'on était le premier de tous les hommes à mettre le pied en ces lieux.

Le vaisseau était nettement visible, cylindre courtaud qui brillait sur le fond de rochers gris terne où, de temps en temps, quelque surface plane, que dans son déplacement rapide le Soleil venait à frapper, étincelait comme un miroir. Mais, environ cinq minutes avant le décollage, le tableau vira au rose, puis au cramoisi, et disparut enfin complètement : Phobos se précipitait dans le cône d'ombre.

Le compte à rebours en était encore à dix secondes lorsqu'une explosion de lumière nous fit sursauter. Nous nous demandâmes un instant si l'*Olympe* n'avait pas lui aussi subi un désastre. Puis nous comprîmes que quelqu'un filmait le décollage, et qu'on avait allumé les projecteurs extérieurs.

Durant ces quelques dernières secondes, je crois que nous oubliâmes tous notre propre situation critique : nous étions là-haut, à bord de l'*Olympe,* à vouloir de toutes nos forces que la poussée s'amplifie sans heurts, soustraie le vaisseau au champ gravitationnel minime de Phobos, puis l'éloigne de Mars pour sa longue chute vers le Soleil. Nous entendîmes le Capitaine Richmond ordonner la mise à feu, il y eut une brève vague de parasites, et la tache de lumière commença à se déplacer dans le champ du télescope.

Et ce fut tout. Il n'y eut pas d'éblouissante colonne de flammes, car, bien entendu, il n'y a pas vraiment ignition lors de la mise à feu d'une fusée nucléaire. « Mise à feu », en vérité ! C'est encore un vestige de la vieille technologie chimique. Mais un jet d'hydrogène brûlant est absolument invisible. Quel dommage que nous ne devions plus jamais revoir quoi que ce soit d'aussi spectaculaire que le lancement d'une fusée Saturne ou Korolov !

Juste avant la fin de la phase de propulsion, l'*Olympe* sortit de l'ombre de Mars et jaillit de nouveau dans la lumière du Soleil, réapparaissant presque instantanément comme un astre brillant qui se déplaçait rapidement. A bord, ils durent être surpris par l'irruption de la lumière, car nous entendîmes quelqu'un crier : « Masquez ce hublot ! » Puis, quelques secondes plus tard, Richmond annonça : « Moteur coupé ! » Quoi qu'il arrivât, l'*Olympe* avait maintenant remis le cap irrévocablement vers la Terre.

Une voix que je ne reconnus pas — mais qui devait être celle du Capitaine — dit : « Au revoir, le *Pégase*. » Puis le contact radio fut coupé. Il n'y avait, bien entendu, pas lieu de dire : « Bonne chance. » Ce point-là avait été réglé des semaines plus tôt.

Je viens de repasser cet enregistrement. En parlant de chance, il y a eu une compensation, mais pas pour nous : avec un équipage réduit à dix membres, l'*Olympe* a pu se délester d'un tiers de sa charge consommable, ce qui représente un allégement de plusieurs tonnes. Il rentrera donc avec un mois d'avance.

Beaucoup de choses auraient pu mal tourner pendant ce mois-là. Il n'est donc pas exclu que l'expédition nous doive son salut. Bien sûr, nous ne le saurons jamais — mais c'est une consolation.

J'écoute beaucoup de musique, à plein volume, maintenant que ça ne risque de déranger personne : même s'il y avait des Martiens, je ne crois pas que ce semblant d'atmosphère puisse porter le son à plus de quelques mètres.

Nous avons une belle collection d'enregistrements, mais il me faut choisir avec soin : rien de triste, et rien qui demande trop de concentration ; et surtout, pas de voix humaines. Alors, je m'en tiens aux classiques orchestraux légers : la *Symphonie du Nouveau Monde* et le *concerto pour piano* de Grieg font parfaitement l'affaire. Pour l'instant, j'écoute la *Rhapsodie sur un thème de Paganini* de Rachmaninov[1], mais il faut maintenant que j'arrête pour me mettre au travail.

Plus que cinq minutes. Les appareils sont en parfait état. Le télescope suit le soleil, le magnétoscope est prêt à enregistrer, le minuteur de précision fonctionne.

---

1. Dont le thème central a servi de leitmotiv au film de Jeannot Szwarc « Quelque part dans le temps », tiré du roman de Matheson *le Jeune Homme, le Temps et la Mort* — ce qui n'est pas sans donner une certaine ironie *a posteriori* au choix fait par le jeune narrateur de Clarke pour meubler le temps qui lui reste avant la mort (N.d.T.).

Ces observations seront aussi précises qu'il m'est possible. C'est mon devoir envers mes camarades perdus, que je rejoindrai bientôt. Ils m'ont donné leur oxygène afin que je puisse être vivant à cet instant. J'espère que vous vous en souviendrez, dans cent ans ou dans mille ans, lorsque vous enfournerez ces chiffres dans les ordinateurs...

Plus qu'une minute ; on en vient aux choses sérieuses. Enregistrement officiel : année, 1984 ; mois, mai ; jour, le deux ; il va être quatre heures trente minutes, temps astronomique... top !

Une demi-minute avant le contact. Je mets le magnétoscope et le minuteur sur grande vitesse. Je viens de vérifier l'angle de position pour m'assurer que je regarde bien le point qu'il faut sur le limbe solaire. Grossissement utilisé : cinq cents ; image parfaitement stable même à cette élévation minime.

Quatre heures trente-deux dans un instant...

Ça y est... ça y est ! J'en crois à peine mes yeux ! Une minuscule encoche noire dans le bord du Soleil... et elle grandit, grandit, grandit...

Salut, la Terre ! Regardez-moi, l'astre le plus brillant de votre ciel, juste au-dessus de votre tête à minuit...

Enregistrement remis à lent.

Quatre heures trente-cinq. On dirait qu'un pouce s'enfonce dans le Soleil, de plus en plus profond... C'est fascinant à voir...

Quatre heures quarante et une. Exactement la moitié du parcours. La Terre est un demi-cercle noir parfait — comme si des dents avaient bien nettement enlevé un morceau du Soleil, ou qu'une maladie le rongeât...

Quatre heures quarante-huit. L'ingression est accomplie aux trois quarts.

Quatre heures quarante-neuf minutes trente secondes. Enregistrement rapide de nouveau.

La ligne de contact avec le bord du Soleil se réduit rapidement. C'est un fil noir à peine visible maintenant. Dans quelques secondes, la Terre tout entière sera superposée au Soleil.

Je vois maintenant les effets de l'atmosphère. Il y a un mince halo de lumière qui entoure ce trou noir dans le Soleil. Aussi étrange que ça paraisse, ce que je vois, c'est la lueur de tous les couchers de Soleil — et de tous les levers de Soleil — qui ont lieu tout autour de la Terre à cet instant même...

L'ingression est totale : quatre heures cinquante minutes et cinq secondes. Le monde tout entier est venu sur le disque solaire : une silhouette noire parfaitement circulaire qui se découpe sur cette fournaise d'enfer, cent cinquante millions de kilomètres au-dessous. Elle paraît plus grosse que je ne l'escomptais ; on pourrait aisément la prendre pour une tache solaire de bonne taille.

Rien de plus à voir pendant les six prochaines heures ; alors la Lune apparaîtra, suivant la Terre avec la moitié du diamètre solaire de retard. Je vais transmettre toutes les données enregistrées à Lunacom, puis essayer de dormir un peu.

Mon dernier sommeil. Je me demande si j'aurai besoin de somnifère. Cela semble dommage de gaspiller ces quelques dernières heures, mais je veux ménager mes forces... et mon oxygène.

C'est le Docteur Johnson[1], je crois, qui a dit que rien n'apaise aussi merveilleusement l'esprit que de savoir qu'on sera pendu à l'aube. Comment diable pouvait-il le savoir, *lui ?*

Dix heures trente, heure astronomique. Le Docteur Johnson avait raison : je n'ai pris qu'un cachet, et je ne me souviens d'aucun rêve.

Le condamné déjeunait aussi de bon appétit. Couper ça...

De nouveau au télescope. Maintenant la Terre a parcouru la moitié du disque, passant nettement au nord du centre. Dans dix minutes, je devrais voir la Lune.

Je viens de passer sur le grossissement maximal du télescope : deux mille. L'image est un peu floue, mais encore assez

1. Samuel Johnson (1709-1784) : l'équivalent anglais, à lui tout seul, de nos encyclopédistes (N.d.T.).

bonne ; halo atmosphérique très distinct. J'espère voir les grandes villes sur la face obscure de la Terre...

Pas de chance. Trop de nuages, probablement. Dommage : c'est théoriquement possible, mais nous n'y avons jamais réussi. Je souhaiterais... peu importe.

Dix heures quarante. Enregistrement lent. J'espère que je regarde au bon endroit.

Plus que quinze secondes. Enregistrement rapide.

Zut ! manqué ! Tant pis : le moment exact aura été enregistré. Il y a déjà une petite encoche noire sur le bord du Soleil. Le contact a dû avoir lieu vers dix heures quarante et une minute vingt secondes H.A.

Comme la Lune et la Terre sont loin l'une de l'autre ! Il y a entre elles la moitié du diamètre solaire. On dirait que les deux corps célestes n'ont rien à voir l'un avec l'autre. C'est là qu'on se rend compte que le Soleil est vraiment énorme...

Dix heures quarante-deux. C'est exactement la moitié du disque lunaire qui a franchi le bord du Soleil : elle y mord un demi-cercle tout petit et très net...

Dix heures quarante-sept minutes cinq secondes : tangence interne. La Lune a dépassé le bord du Soleil, elle est entièrement à l'intérieur. Je ne crois pas que je puisse voir quoi que ce soit du côté nocturne, mais je vais augmenter la puissance.

Tiens, tiens ! Quelqu'un doit essayer de communiquer avec moi : il y a une petite lumière qui n'arrête pas de clignoter là-bas, sur la face obscure de la Lune ; c'est probablement le laser de la base de la Mer des Pluies.

Mes excuses à tous : j'ai déjà fait mes adieux, et je n'ai pas envie de recommencer tout ça. Rien ne peut avoir d'importance maintenant.

Mais il a presque un pouvoir hypnotique, ce point de lumière qui danse, sur la face même du Soleil. Il est incroyable que, même après avoir parcouru toute cette distance, le faisceau n'ait que cent cinquante kilomètres de large. Lunacom se donne tout ce mal pour le braquer exactement sur moi, et je devrais me sentir coupable, j'imagine, de n'y pas prêter attention. Mais c'est ainsi : j'ai presque fini mon travail, et les affaires de la Terre ne me concernent plus.

Dix heures cinquante. Enregistrement arrêté. C'est terminé — jusqu'à la fin du passage de la Terre, dans deux heures.

J'ai pris un petit casse-croûte, et je jette un dernier coup d'œil à la vue que l'on a de la bulle d'observation. Le Soleil est encore haut, aussi n'y a-t-il pas beaucoup de contraste, mais la lumière fait ressortir vivement toutes les couleurs — les innombrables variétés de rouge, de rose et de cramoisi, si saisissantes sur le bleu profond du ciel. Quelle différence avec la Lune — bien que celle-ci ait aussi sa beauté à elle !

Curieux comme on peut être surpris par ce qui est évident ! Tout le monde savait que Mars était rouge ; mais nous ne nous attendions pas vraiment au rouge de la rouille, au rouge du sang — comme le désert peint de l'Arizona : au bout d'un moment, l'œil a envie de vert.

Vers le nord, il y a un changement de couleur qui est le bienvenu : la calotte de neige de gaz carbonique du Mont Burroughs est une pyamide blanche éblouissante. C'est aussi une surprise : le Burroughs atteint sept mille cinq cents mètres au-dessus de la surface moyenne ; quand j'étais enfant, Mars était censé être dépourvu de montagnes...

La dune la plus proche est à quatre cents mètres, et elle aussi a des plaques de gelée sur sa pente à l'ombre. Pendant la dernière tempête, nous avons pensé qu'elle se déplaçait de quelques dizaines de centimètres, mais sans en être cerains. A coup sûr, les dunes *sont* mouvantes comme celles de la Terre. Un jour, je pense, cette base sera recouverte de sable, pour réapparaître dans mille ans. Ou dix mille.

Cet étrange groupe de rochers — l'Eléphant, le Capitole, l'Evêque — garde encore ses secrets, et m'inflige le souvenir de notre première déception. Nous aurions juré qu'ils étaient sédimentaires ; avec quelle avidité nous nous sommes précipités à la recherche de fossiles ! Nous ne savons toujours pas comment s'est formé cet affleurement. La géologie de Mars est encore un amas d'énigmes et de contradictions...

Nous avons légué suffisamment de problèmes aux générations à venir, et celles-ci en découvriront beaucoup d'autres. Mais il y a un mystère que nous n'avons jamais signalé à la Terre, ni même mentionné dans le livre de bord...

La première nuit après notre atterrissage, nous avons veillé à tour de rôle. Brennan, qui était de garde, m'a réveillé peu après minuit. J'étais furieux, car ce n'était pas encore l'heure, mais il m'a dit qu'il avait vu une lumière en mouvement autour de la base du Capitole.

Nous sommes restés aux aguets pendant au moins une heure, jusqu'à ce que ce soit effectivement mon tour de prendre la relève, sans rien voir : quelle que fût cette lumière, elle ne réapparut pas.

Or on ne fait pas plus pondéré ni moins imaginatif que Brennan ; s'il a dit qu'il avait vu une lumière, c'est qu'il en avait vu une. Peut-être était-ce quelque espèce de décharge électrique, ou le reflet de Phobos sur un fragment de rocher poli par le sable. En tout cas, nous avons décidé de n'en pas souffler mot à Lunacom tant que nous ne l'aurions pas revue.

Depuis que je suis seul, je me suis souvent réveillé la nuit, et j'ai jeté un coup d'œil du côté des rochers. À la faible lueur de Phobos et Deimos, ils me font penser à une ville sombre se découpant sur le ciel nocturne. Et elle est toujours restée sombre : aucune lumière n'y a jamais brillé pour moi...

Douze heures quarante-neuf minutes, heure astronomique. Le dernier acte est sur le point de commencer. La Terre a presque atteint le bord du Soleil. Les deux étroites cornes de lumière qui l'encadrent encore se rencontrent à peine...

Enregistrement rapide.

Tangence ! Douze heures cinquante minute seize secondes. Les croissants de lumière ne sont plus en contact. La Terre commence à franchir le bord du Soleil : un petit point noir y est apparu, qui s'allonge, s'allonge...

Enregistrement ralenti. Dix-huit minutes à attendre avant que la Terre disparaisse définitivement de la face du Soleil.

La Lune, elle, a encore plus de la moitié du chemin à faire : elle n'a pas encore atteint le milieu de son passage. On dirait une petite tache d'encre ronde, qui ne fait que le quart de la taille de la Terre. Nulle lumière n'y clignote plus : Lunacom a dû laisser tomber.

Eh bien ! il me reste juste un quart d'heure, ici dans ma dernière demeure. Le temps semble s'accélérer, comme il le fait dans les dernières minutes avant le lancement d'un vaisseau. Peu importe : j'ai tout mis au point maintenant. Je peux même me détendre.

J'ai déjà l'impression d'être entré dans l'histoire. Je m'identifie avec le Capitaine Cook, observant à Tahiti en 1769 le passage de Vénus. Si l'on fait abstraction de cette vision de la Lune qui suit par-derrière, ça devait être très semblable à ceci...

Qu'aurait pensé le Capitaine Cook, il y a plus de deux cents ans, s'il avait su qu'un jour un homme observerait la Terre entière au cours de son passage à partir d'une planète extérieure. Je suis sûr que, la stupéfaction passée, il aurait été ravi...

Mais l'homme auquel je m'identifie plus étroitement encore n'est pas encore né. J'espère que vous entendrez ces mots, qui que vous soyez. Peut-être vous tiendrez-vous ici même, dans cent ans, quand le prochain passage se produira.

Salut au 10 novembre 2084 ! Je vous souhaite d'avoir plus de chance que nous. J'imagine que vous serez venu sur un vaisseau de ligne luxueux ; à moins que vous soyez né sur Mars et n'ayez jamais mis les pieds sur la Terre. Vous connaîtrez des choses que je ne puis imaginer. Pourtant, je ne sais pourquoi, je ne vous envie pas. Je ne changerais même pas de place avec vous si je le pouvais.

Car vous vous rappellerez mon nom, et saurez que j'ai été le premier de tous les hommes à observer jamais un passage de la Terre. Et personne n'en verra un autre d'ici cent ans...

Douze heures cinquante-neuf minutes. La Terre en est très exactement au milieu de son émersion : c'est un demi-cercle parfait, ombre noire sur la face du Soleil. Je ne peux toujours pas me défaire de l'impression que quelque chose a mordu goulûment dans ce disque doré. Dans neuf minutes, il n'y aura plus rien : le Soleil sera entier de nouveau.

Treize heures sept minutes. Enregistrement rapide.

La Terre est presque partie : il n'y a plus qu'une fossette noire peu profonde au bord du Soleil. On pourrait facilement la prendre pour une petite tache en train de passer de l'autre côté du limbe.

Treize heures huit.

Adieu, belle Terre.

Elle s'en va, s'en va, s'en... va ! Adieu, a...

Ça va de nouveau maintenant. J'ai envoyé tous les minutages par le faisceau. Dans cinq minutes ils s'ajouteront à tout le savoir accumulé par l'humanité. Et Lunacom saura que je suis resté fidèle au poste jusqu'au bout.

Mais ceci, je ne l'envoie pas. Je vais le laisser ici, pour la prochaine expédition — quelle qu'en soit la date. Il peut s'écouler dix ou vingt ans avant que quiconque revienne ici : à quoi bon retourner à un site ancien quand tout un monde attend d'être exploré...

Cette capsule restera donc ici, tout comme le journal de Scott est resté dans sa tente, jusqu'à ce que les prochains visiteurs la trouvent. Mais moi, ils ne me trouveront pas.

Curieux comme je ne peux me détacher de Scott ! Je crois que c'est lui qui m'a donné cette idée.

Car son corps ne restera pas gisant à jamais gelé dans l'Antarctique, isolé du grand cycle de la vie et de la mort. Depuis longtemps cette tente solitaire s'est mise en marche vers la mer. Au bout de quelques années, enfouie dans la neige tombée, elle faisait partie du glacier qui éternellement poursuit son lent glissement à partir du Pôle. Dans quelques siècles, bien vite écoulés, le marin sera retourné à la mer. Il se fondra à nouveau dans le grand ensemble des choses qui vivent — le plancton, les phoques, les manchots, toute la faune innombrable de l'Antarctique.

Il n'y a pas d'océans ici sur Mars, et il en est ainsi depuis au moins cinq milliards d'années. Mais il y a une certaine forme de vie, là-bas, dans les mauvaises terres de Chaos II que nous n'avons jamais eu le temps d'explorer.

Ces taches mouvantes qui apparaissent sur les photos prises en orbite... La certitude que des régions entières de Mars ont été débarrassées de cratères par des forces autres que l'érosion... Les molécules de carbone en chaînes longues, optiquement actives, récoltées lors des prélèvements atmosphériques...

Et, bien sûr, le mystère de Viking VI : maintenant encore, personne n'a su trouver de sens à ces derniers relevés effectués par les instruments avant que la sonde fût écrasée par quelque grosse et lourde masse dans le calme glacial de la profonde nuit martienne...

Et qu'on ne me parle pas de formes de vie *primitives* dans un tel lieu ! Pour y survivre, il faut être si avancé qu'en comparaison nous aurons l'air aussi patauds que des dinosaures.

Il reste encore assez de combustible dans les réservoirs du navire pour faire largement le tour de la planète à bord du véhicule d'exploration de Mars. J'ai trois heures de jour devant moi : c'est bien suffisant pour descendre dans les vallées et m'enfoncer assez loin dans le Chaos. Après le coucher du soleil, je pourrai encore rouler à bonne allure avec les phares. Ce sera romantique en diable, ce trajet de nuit sous les lunes de Mars !

Il y a une chose dont je dois m'occuper avant de partir : je n'aime pas la façon dont Sam gît là-dehors. Ses mouvements étaient toujours empreints de tant d'élégance qu'il ne semble pas normal qu'il ait une pose si disgracieuse maintenant. Il faut que j'y remédie.

Je me demande si, à sa place, j'aurais été capable de parcourir cent mètres sans combinaison spatiale, en marchant d'un pas lent et ferme, comme il l'a fait, jusqu'au bout.

Il faut que je m'efforce de ne pas regarder son visage.

Voilà qui est fait. Tout est en ordre. Paré au départ.

Ma thérapeutique a été efficace. Je me sens parfaitement à l'aise, et même satisfait, maintenant que je sais exactement ce que je vais faire. Les vieux cauchemars ont perdu leur pouvoir.

Il est bien vrai qu'on meurt toujours seul. Ça ne fait aucune différence à la fin, d'être à quatre-vingts millions de kilomètres de chez soi.

Je prendrai plaisir à rouler dans ce beau paysage bariolé. Je penserai à tous ceux qui ont rêvé de Mars — Wells, Lowell, Burroughs, Weinbaum, Bradbury... Ils se sont tous trompés dans leurs conjectures, mais la réalité est tout aussi étrange, tout aussi belle qu'ils l'imaginaient.

Je ne sais pas ce qui m'attend là-bas, et probablement ne le verrai-je jamais. Mais sur ce monde famélique, cet être est sans aucun doute désespérément avide de carbone, de phosphore, d'oxygène, de calcium. Je peux lui être utile.

Et lorsque le signal d'alarme pour le niveau d'oxygène se fera entendre, quelque part dans cette solitude hantée, je finirai en beauté. Dès que j'éprouverai de la difficulté à respirer, je sortirai du véhicule et je me mettrai à marcher — avec un appareil d'écoute branché à mon casque et jouant à plein volume.

Pour la puissance et la gloire purs et triomphants, rien dans tout le domaine musical n'égale la *Toccata et Fugue en Ré majeur*. Je n'aurai pas le temps de l'entendre jusqu'au bout, mais peu importe.

Jean-Sébastien, me voici.

Transit of Earth.
Première publication : *Playboy,* janvier 1971.

FACE A FACE AVEC MÉDUSE

Et voici le plat de résistance ! Daté de février 1971, « A Meeting with Medusa » va plus loin dans la même voie que « Transit of Earth » écrit un an plus tôt. Parce qu'après Mars il nous emmène jusqu'à Jupiter ? Pas seulement ! C'est la création d'un environnement planétaire cohérent à partir des données scientifiques qui est aussi beaucoup plus poussée : ce qui n'était qu'esquissé, voire suggéré, est ici hardiment dessiné et peint. Pour ce faire, Clarke s'est donné une toile à la mesure de son sujet : un véritable petit roman en huit chapitres portant chacun un titre.

Clarke affectionne particulièrement ce format, qui lui permet de donner au cadre toute sa solidité et sa profondeur, aux personnages toute leur épaisseur et leur vérité. Malheureusement, ces « novelettes » restent peu connues en France : de « Against the Fall of Night » (Star-tling, nov. 1948) et de « Earthlight » (Thrilling, août 1951), on n'a lu chez nous que les versions considérablement augmentées, de 1956 et 1954 respectivement, The City and the Stars *(la Cité et les astres, Rayon Fantastique 1962, C.L.A. 1969 et Denoël 1972) et* Earthlight *(Lumière cendrée, Le Masque 1975) ; quant à « The Lion of Comarre »* (Thrilling, août 1949), il reste totalement inédit dans notre langue. On peut cependant se faire une idée de ce que fait Clarke sur cette longueur avec « The Deep Range » *(Star SF Stories n° 3, 1954), paru dans sa version courte (« Berger des profondeurs » dans* Fiction *spécial n° 3, juin 1961) avant sa version longue (les Prairies bleues, Albin Michel 1972), et avec un « Second Dawn »* (SF Quarterly, *août 1951), traduit sous le titre de « Seconde Aurore » dans* Satellite *n° 36 (oct. 1961) et sous celui de « Une aube* nouvelle » dans le Livre d'or. *Ce dernier se concluait d'ailleurs par une autre novelette de 1951, « Seeker of the Sphinx » (in* Two Complete Science Adventure Books*), qui y était traduite pour la première fois sous le titre « le Sphinx au bord de la mer ».*

C'est une heureuse coïncidence que ce recueil-ci se termine par « A Meeting with Medusa », car ces deux textes parus à vingt ans d'intervalle n'ont pas seulement pour point commun un nombre de pages comparable : dans les deux cas — et les titres le soulignent — il s'agit d'une rencontre entre un homme et une entité qui le dépasse. Remarquons cependant que si l'amour faisait partie du mystère affronté par Brant dans le texte de 1951 — le sphinx, malgré son genre masculin en français, n'a-t-il pas un visage de femme ? —, la Méduse de 1971 n'a, malgré la grammaire, rien de féminin. Les relations avec le « beau sexe » sont totalement absentes de ce récit, comme d'ailleurs de tout ce dernier recueil, sauf « Amour universel » — exception qui confirme la règle, car elles y sont traitées fort cavalièrement. On peut dire que Clarke tel qu'en lui-même la maturité le change a éliminé la femme de sa fiction tout comme de sa vie. « Seeker of the Sphinx » était dans une large mesure une histoire d'amour ; « A Meeting with Medusa » est une histoire de mort — comme « Maelström II », comme « The Shining Ones », comme « Transit of Earth », comme « Playback », sans parler de « Crusade », de « Dial F for Frankenstein » ou de « The Last Command » où, sur divers modes, la menace d'anéantissement est collective, et de « The Secret » où la victoire sur la mort est plus redoutable que la défaite.

Oui, dans presque tout ce recueil, quand cette Méduse-là ne montre pas son visage fatal, c'est au moins son ombre qui passe. Quoi qu'en dise Clarke dans sa préface, l'âge est sans doute pour quelque chose dans cette préoccupation de la mortalité. Celle-ci n'a pourtant rien d'une obsession morbide : c'est à chaque fois une leçon d'honnête lucidité et d'humble courage que donnent les héros de Clarke dans cette expérience cruciale où ils doivent se faire ou se défaire. Et, sur ce point comme sur bien d'autres, le long texte qu'on va lire — ou relire — est exemplaire.

I

UNE JOURNÉE MÉMORABLE

A cinq mille mètres au-dessus du Grand Canyon, la *Reine Elisabeth* allait sans se presser à trois cents à l'heure, lorsque Howard Falcon repéra la plate-forme de prise de vues qui se rapprochait sur la droite. Il s'y attendait — aucune autre autorisation n'était accordée pour voler à cette altitude — mais il n'était pas particulièrement heureux d'avoir de la compagnie. Certes, toute marque d'intérêt du public était la bienvenue ; mais Howard Falcon voulait aussi autant de ciel dégagé que possible : après tout, il était le premier dans l'histoire à piloter un appareil de cinq cents mètres de long...

Jusque-là, ce premier vol d'essai avait été parfait. Paradoxalement, le seul souci avait été le porte-avions centenaire *Président Mao,* emprunté au Musée de la Marine de San Diégo pour les opérations de soutien. Un seul des quatre réacteurs nucléaires du *Mao* fonctionnait encore, et la vitesse maximale du vieux char de guerre était à peine de trente nœuds. Heureusement, la vitesse du vent au niveau de la mer n'en avait pas même atteint la moitié, de sorte qu'il n'avait pas été trop difficile de maintenir le déplacement d'air à zéro sur le pont d'envol. Il y avait bien eu quelques instants d'angoisse lors des rafales ; mais, lorsqu'on avait largué les amarres, le grand dirigeable s'était élevé sans heurts tout droit dans le ciel, comme sur un ascenseur invisible. Si tout se passait bien, la *Reine Elisabeth IV* ne rejoindrait pas le *Président Mao* de toute une semaine.

On avait les choses bien en main : les relevés de tous les instruments de contrôle étaient normaux. Le Capitaine Falcon décida de monter observer la rencontre. Il passa le commandement à son second, et sortit par le passage tubulaire transparent qui traversait le cœur du navire. Comme toujours, il s'y sentit écrasé par le spectacle du plus grand espace d'un seul tenant jamais enfermé par l'homme.

Les dix alvéoles sphériques contenant le gaz, qui faisaient

chacun plus de trente mètres de diamètre, étaient rangés l'un derrière l'autre : on aurait dit une série de bulles de savon géantes. Leur résistante enveloppe de plastique était si limpide que Falcon pouvait distinguer, à travers tout l'ensemble, les détails du mécanisme de l'ascenseur, à plus de cinq cents mètres de son lieu d'observation. Tout autour de lui, comme un labyrinthe en trois dimensions, il avait la charpente de la coque : les grandes poutrelles longitudinales qui couraient du nez à la queue, les quinze cercles qui constituaient la membrure de ce colosse aérien, et dont la taille différente lui donnait son gracieux profil aérodynamique.

A cette allure modérée, il n'y avait guère de bruit : seulement le doux bruissement du vent sur l'enveloppe et, de temps en temps, les craquements du métal soumis à un ensemble changeant de tensions. Les rangées de lampes haut placées donnaient une lumière sans ombres, et toute la scène avait un curieux aspect sous-marin, qui pour Falcon était accentué par la vue des sacs de gaz translucides : il avait une fois rencontré tout un banc de méduses, de grande taille mais inoffensives, escadre écervelée qui croisait en palpitant au-dessus d'un récif tropical peu profond, et les bulles de plastique qui donnaient à la *Reine Elisabeth* sa force ascensionnelle lui en rappelaient souvent le souvenir, surtout quand les variations de pression les faisaient se rider et réfléchir la lumière en motifs nouveaux.

Il suivit l'axe du navire jusqu'à l'ascenseur avant, entre les alvéoles à gaz un et deux. Au cours de la montée vers le Pont Panoramique, il constata une chaleur excessive, et enregistra pour lui-même une note concise sur son magnétophone de poche. La *Reine* tirait presque un quart de sa poussée sustentatrice de la chaleur résiduelle produite en quantité illimitée par ses moteurs à fusion. De fait, pour ce vol en charge réduite, six sur dix seulement des alvéoles à gaz contenaient de l'hélium ; les quatre autres étaient pleins d'air. Pourtant, le navire portait encore deux cents tonnes d'eau comme lest. Cependant, faire fonctionner les alvéoles à haute température n'était pas sans poser des problèmes pour la réfrigération de leurs accès. Il était évident qu'il restait encore à faire à cet égard.

Un souffle bienfaisant d'air plus frais le frappa au visage quand il déboucha sur le Pont Panoramique, baigné d'une lumière éblouissante par le soleil à travers le toit de plexiglas. Une demi-douzaine d'ouvriers, assistés d'un nombre égal de super-singes, étaient fort occupés à finir de poser la piste de danse, pendant que d'autres procédaient à des installations électriques et fixaient des meubles. C'était un chaos organisé, et Falcon eut du mal à croire que tout serait prêt pour le voyage inaugural, dans quatre semaines seulement. Bah ! ce n'était pas son problème à lui, Dieu merci. Il n'était que le Commandant, et non le Directeur de Croisière.

Les ouvriers humains le saluèrent du geste, et les « supinges » sourirent de toutes leurs dents, tandis qu'il se frayait un passage jusqu'au « Salon du Ciel » déjà terminé. De tout le navire, c'était le lieu qu'il préférait, et il savait qu'il ne l'aurait plus jamais pour lui tout seul une fois que les services réguliers auraient commencé. Il allait en jouir cinq petites minutes en toute quiétude.

Il appela la passerelle pour s'assurer que tout allait toujours pour le mieux, puis il prit ses aises dans un des confortables fauteuils pivotants. Il voyait s'étendre au-dessous de lui, en une courbe continue qui était un ravissement pour l'œil, l'enveloppe argentée du dirigeable. Trônant au point le plus élevé du plus grand moyen de transport jamais construit, il en balayait du regard toute l'immensité. Et, s'il s'en lassait, il y avait, à perte de vue jusqu'à l'horizon, le fantastique chaos sculpté par le Colorado en un demi-milliard d'années.

A part la plate-forme de prise de vues (qui s'était maintenant laissé distancer et filmait à la hauteur du milieu du navire), il avait le ciel pour lui tout seul — un ciel bleu et dégagé, clair même au niveau de l'horizon. Du temps de son grand-père, Falcon le savait, il aurait été souillé de traînées de vapeur et de taches de fumée. Les unes et les autres avaient disparu : la pollution aérienne avait cessé en même temps que les technologies primitives qui la répandaient, et les transports à longue distance de cette époque décrivaient leurs trajectoires trop loin au-delà de la stratosphère pour être vus ou entendus de la Terre. A nouveau, la basse atmosphère appartenait aux oiseaux et aux nuages — et désormais à la *Reine Elisabeth IV.*

Ce que les anciens pionniers avaient dit au début du xxe siècle était vrai : c'était le seul moyen de voyager — dans le silence et le luxe, en respirant l'air qui vous entourait au lieu d'en être isolé, assez près de la surface pour contempler la beauté changeante des terres et des mers. Les avions à réaction des années 1980, bondés de passagers assis à dix de front, ne pouvaient en aucune façon rivaliser avec des aménagements aussi spacieux et confortables.

Certes, la *Reine* n'aurait jamais d'intérêt économique, et, même si l'on construisait ses jumeaux encore en projet, la joie de glisser en silence dans le ciel demeurait le privilège d'une minorité. Mais la sécurité et la prospérité de la société universelle lui permettaient de se payer de telles folies — leur nouveauté et le divertissement qu'elles apportaient lui étaient même nécessaires. Il y avait au moins un million d'hommes sur Terre qui disposaient d'un revenu supérieur à mille nouveaux dollars par an, de sorte que la *Reine* ne manquerait pas de passagers.

Falcon entendit le signal répété de son transmetteur de poche : c'était le copilote qui l'appelait de la passerelle.

« D'accord pour le rendez-vous, Commandant ? Nous avons tiré de ce vol tous les renseignements que nous voulions, et les gens de la télévision commencent à s'impatienter. »

Falcon jeta un coup d'œil à la plate-forme de prise de vues, qui volait maintenant à 150 mètres du dirigeable à la même vitesse que lui.

« D'accord », répondit-il. « Faites comme convenu. Je reste ici pour regarder. »

Il traversa à nouveau le Pont Panoramique, avec son industrieux désordre, car la vue serait meilleure depuis le milieu du navire. Ce faisant, il put se rendre compte que les vibrations sous ses pieds avaient changé. D'ici à ce qu'il atteignît le fond du salon, le navire s'était arrêté. Avec son passe-partout, il put sortir sur la petite plate-forme extérieure en saillie au bout du pont. Une demi-douzaine de gens pouvaient s'y tenir, séparés seulement par des rambardes basses de la vaste étendue de l'enveloppe... et du sol, à des milliers de mètres plus bas. C'était une position impressionnante, et parfaitement sans danger, même à grande vitesse, car elle était abritée du déplacement d'air par la grosse cloque que formait le Pont Panoramique sur le dos du navire. Néanmoins, il n'était pas prévu que les passagers y eussent accès, la vue y était un peu trop vertigineuse.

Les panneaux des écoutilles avant s'étaient déjà ouverts comme des trappes géantes, et la plate-forme de prise de vues était en suspens au-dessus, prête à descendre. Dans les années à venir, des milliers de voyageurs et des tonnes de marchandises suivraient cette voie. La *Reine* aurait rarement l'occasion de descendre au niveau de la mer et d'accoster à sa base flottante.

Une brusque rafale de vent de travers gifla Falcon, et il serra plus fort le garde-fou. L'atmosphère au-dessus du Grand Canyon était affectée de turbulences, mais il n'aurait guère dû y en avoir à cette altitude. Sans s'inquiéter vraiment, Falcon concentra son attention sur la plate-forme qui n'était plus qu'à cinquante mètres au-dessus du vaisseau. Il savait que le technicien hautement qualifié qui télécommandait cette manœuvre simple l'avait déjà accomplie une douzaine de fois : il était inconcevable qu'il eût les moindres difficultés.

Pourtant, il semblait réagir plutôt mollement. Cette dernière rafale avait fait dériver la plate-forme presque jusqu'au bord de l'écoutille ouverte. A coup sûr le pilote aurait pu corriger avant... Avait-il des ennuis avec les commandes ? C'était fort improbable : ces engins télécommandés étaient équipés de multiples systèmes d'appoint qui prenaient automatiquement la relève en cas de défaillance. On n'entendait pratiquement jamais parler d'accidents.

Mais voilà que la plate-forme partait de nouveau, sur la gauche : le pilote était-il soûl ? Elle avait beau paraître improbable, Falcon prit un instant cette idée au sérieux. Puis il tendit la main vers l'interrupteur de son micro.

A nouveau, à l'improviste, il fut violemment giflé par le vent. Mais il ne le sentit guère : il fixait sur la plate-forme un regard horrifié. L'opérateur lointain s'efforçait de reprendre la situation en main, mais plus il essayait de rétablir l'équilibre avec les réacteurs, plus il aggravait les choses. Les oscillations augmentaient : vingt degrés, quarante, soixante, quatre-vingt-dix...

« Passe donc sur automatique, imbécile ! » cria Falcon dans son micro — ce qui évidemment ne pouvait servir à rien. « Les commandes manuelles ne fonctionnent pas ! »

La plate-forme bascula sur le dos. Du coup, les réacteurs, au lieu de la soutenir, la poussèrent brusquement vers le bas : ils étaient soudain devenus les alliés de la pesanteur qu'ils avaient jusque-là combattue.

Falcon n'entendit pas le fracas de la collision, mais il la sentit : il était déjà rentré sur le Pont Panoramique, et se précipitait vers l'ascenseur pour descendre à la passerelle. Sur son passage, des ouvriers anxieux demandaient à grands cris ce qui s'était passé. Il allait falloir à Falcon de nombreux mois pour connaître la réponse à cette question.

Au moment où il mettait le pied dans la cabine de l'ascenseur, il se ravisa : et s'il y avait une panne de courant ? Mieux valait être prudent, même si cela prenait plus de temps et que le temps, en l'occurrence, était précieux. Il se mit à dévaler l'escalier qui descendait en spirale autour de la cage de l'ascenseur.

A mi-chemin, il s'arrêta pour constater les dégâts. Cette fichue plate-forme avait traversé le vaisseau de part en part, crevant au passage deux des alvéoles de gaz : ils étaient encore en train de se dégonfler, en grands pans de plastique qui s'affaissaient lentement. La perte de portance ne l'inquiétait guère : on avait le lest pour y remédier, tant que huit éléments demeuraient intacts. Ce qui était beaucoup plus grave, c'étaient d'éventuels dommages structurels. Déjà, Falcon entendait autour de lui gémir le grand treillage, comme s'il protestait contre les charges anormales auxquelles il était soumis. Il ne suffisait pas d'avoir assez de force ascensionnelle : si elle n'était pas correctement répartie, le vaisseau se briserait les reins.

Au moment où il reprenait sa descente, un super-singe,

hurlant de terreur, s'approcha à une vitesse incroyable en dévalant la cage de l'ascenseur main sur main à l'*extérieur* du treillis. Dans son affolement la pauvre bête avait arraché l'uniforme de compagnie qu'elle portait — tentative inconsciente, peut-être, pour recouvrer la liberté de ses ancêtres.

Ce n'est pas sans appréhension que Falcon, qui continuait à descendre aussi vite que possible, vit venir le « supinge » : frappé de panique, cet animal puissant pouvait être dangereux, surtout si la peur venait à bout de son conditionnement. En rattrapant Falcon, il se mit à crier un chapelet de mots, si confus et entremêlés que le seul qui fût reconnaissable était, plaintif et souvent répété, le mot « maître ». Ainsi, se dit Falcon, même dans de telles circonstances, cette créature se tournait vers les humains pour qu'ils la guident ! Il la prit en pitié, entraînée qu'elle était dans un désastre causé par les hommes, qui dépassait sa compréhension et dont elle n'était nullement responsable.

Elle s'arrêta en face de lui, de l'autre côté du treillis ; rien ne l'empêchait de franchir ce cadre non clos si elle le voulait. Elle avait le visage à quelques centimètres seulement de celui de Falcon, dont le regard plongeait droit dans ses yeux terrifiés. Jamais encore il n'avait été aussi près d'un supinge, jamais il n'avait eu la possibilité d'étudier ses traits aussi en détail. Il éprouva cet étrange sentiment mêlé de parenté et de malaise que connaissent tous les hommes lorsqu'ils fixent ainsi leur regard sur le miroir du temps.

Sa présence semblait avoir calmé la créature. Il montra du doigt le haut de la cage, vers le Pont Panoramique, et prononça très clairement, très distinctement : « Maître... maître... aller. » A son grand soulagement, le supinge comprit : il lui fit une grimace qui pouvait passer pour un sourire, et s'élança aussitôt dans la direction dont il venait. Falcon lui avait donné le meilleur conseil possible : si à bord de la *Reine* on pouvait encore trouver une quelconque sécurité, c'était par là. Mais lui, son devoir l'appelait du côté opposé.

Il avait presque achevé sa descente quand, avec un bruit de métal qui se déchire, le vaisseau piqua du nez, et les lumières s'éteignirent. Mais il y voyait très bien, car un rayon de soleil s'infiltrait par l'écoutille ouverte et par l'énorme déchirure de l'enveloppe. De nombreuses années auparavant, debout dans la nef d'une grande cathédrale, il avait regardé la lumière se déverser à travers les vitraux et s'étaler en mares éclatantes et multicolores sur les dalles antiques. L'éblouissant faisceau qui traversait l'entoilage endommagé, loin au-dessus de lui, lui rappelait cet instant. Il était dans une cathédrale de métal qui tombait du ciel.

Quand il atteignit la passerelle et put pour la première fois jeter un coup d'œil à l'extérieur, il fut effaré de voir combien le vaisseau était près du sol : à moins de mille mètres au-dessous, les clochetons de roc se dressaient, splendides et mortels, et les rouges rivières de boue, creusant et sculptant, s'enfonçaient encore dans le passé. Nulle part on n'apercevait de terrain plane où un vaisseau de la taille de la *Reine* pût venir reposer en équilibre.

Un coup d'œil à l'affichage lui apprit que tout le lest était parti. Cependant, la vitesse de la chute avait été réduite à quelques mètres par seconde : il restait encore une chance de s'en tirer.

Sans un mot, Falcon s'assit doucement dans le fauteuil de pilotage et prit les commandes, dans la mesure où elles répondaient encore. Le tableau de bord lui montrait tout ce qu'il voulait savoir : parler était superflu. A l'arrière-plan, il entendait l'officier des communications faire un commentaire continu en direct à la radio. Tous les canaux destinés aux nouvelles dans le monde devaient déjà être retenus, et il se figurait sans peine la profonde contrariété des directeurs d'émissions : un des naufrages les plus spectaculaires de l'histoire se déroulait sans une seule caméra pour l'enregistrer ! Les derniers instants de la *Reine* ne pourraient jamais impressionner et frapper d'effroi des millions de spectateurs comme ceux du *Hindenburg* un siècle et demi auparavant.

Le sol n'était plus qu'à moins de cinq cents mètres maintenant, et continuait à approcher lentement. Bien que la propulsion fût intacte, Falcon n'avait pas osé l'utiliser à plein, de peur de provoquer l'effondrement de la charpente affaiblie ; mais maintenant, il se rendait compte qu'il n'avait pas le choix : le vent les portait vers une fourche du canyon, où le fleuve était fendu par un coin de roc semblable à la proue de quelque gigantesque bateau pétrifié. En gardant le même cap, la *Reine* viendrait reposer à cheval sur ce plateau triangulaire, avec un tiers de sa longueur au moins en saillie au-dessus du vide : elle se briserait comme un bâton de bois pourri.

De très loin, dominant le bruit du métal qui fatiguait et du gaz qui s'échappait, parvint à Falcon le sifflement familier des réacteurs latéraux qu'il venait de mettre à feu. Le vaisseau fit une embardée, et se mit à virer vers bâbord. Le hurlement du métal qui se déchire était presque continu maintenant, et la descente avait subi une inquiétante accélération. Un coup d'œil à l'indicateur des dommages révéla que l'alvéole n° 5 venait de défaillir.

Le sol n'était plus qu'à quelques mètres ; Falcon ne savait toujours pas si sa manœuvre allait réussir ou non. Il mit les réacteurs en position verticale : sustentation maximale pour réduire le choc.

La collision sembla durer une éternité — non pas violente, mais prolongée, et irrésistible. Tout l'univers avait l'air de s'écrouler.

Le crissement du métal broyé se fit plus proche, comme si quelque bête monstrueuse se frayait un chemin à coups de dents à travers le vaisseau mourant.

Puis le plancher et le plafond se refermèrent sur Falcon comme un étau.

« Ça ne représente qu'une économie bien minime, si l'on tient compte de la distance supplémentaire et des problèmes logistiques : pour Jupiter, on peut se servir des installations de Ganymède ; au-delà de Saturne, il faudrait mettre en place une nouvelle base de ravitaillement. »

Logique, se dit Webster ; mais il était certain que ce n'était pas la raison essentielle. Jupiter était le roi du système solaire ; Falcon ne voyait pas l'intérêt de se mesurer à un moindre adversaire.

« En outre », poursuivit Falcon, « Jupiter constitue pour les scientifiques un scandale éminent. Il y a plus de cent ans qu'on a découvert ses orages radio, mais la cause nous en reste toujours inconnue ; quant au mystère de la Grande Tache Rouge, il est encore intact. C'est pourquoi je puis obtenir des fonds complémentaires du Bureau de l'Astronautique. Sais-tu combien de sondes ont été larguées dans cette atmosphère ? »

« Dans les deux cents, je suppose. »

« *Trois* cent vingt-six au cours des cinquante dernières années — dont un quart environ ont été des échecs complets. Certes, on en a appris un sacré bout, mais on a à peine écorché la surface. Te représentes-tu la taille de cette planète ? »

« Plus de dix fois celle de la Terre. »

« Certes, mais sais-tu ce que ça signifie véritablement ? »

Falcon montra du doigt le grand globe terrestre installé dans un coin du bureau de Webster : « Regarde l'Inde : comme elle a l'air petite ! Eh bien, si tu pelais la Terre et l'étendais sur la surface de Jupiter, cela ferait à peu près le même effet que l'Inde sur cette sphère. »

Il y eut un long silence : Webster méditait l'équation « Jupiter est à la terre ce que la Terre est à L'Inde ». Falcon avait délibérément, bien sûr, choisi le meilleur exemple...

Y avait-il déjà dix ans de cela ? Oui, ça devait être ça : la catastrophe se situait sept ans en arrière — cette date-là était gravée dans son cœur —, et ces premiers essais avaient eu lieu trois ans avant le premier et dernier vol de la *Reine Elisabeth.*

Dix ans auparavant, donc, le Capitaine Falcon (non, il n'était que lieutenant) l'avait invité à une avant-première : trois jours de vol au-dessus des plaines du nord de l'Inde, en vue de l'Himalaya. « Aucun danger », lui avait-il promis. « Ça te permettra de t'évader du bureau, et te montrera de quoi il s'agit exactement. »

Webster n'avait pas été déçu : après son premier voyage vers la Lune, cela avait été l'expérience la plus mémorable de sa vie. Et pourtant, comme Falcon le lui avait assuré, cela s'était passé sans danger ni incidents.

Ils avaient décollé de Srinagar juste avant l'aube — les premiers rayons du soleil touchaient déjà l'immense bulle d'argent du ballon. L'ascension s'était accomplie dans un silence total : pas de brûleurs à gaz propane grondants, comme sur les ballons à air chaud de jadis — toute la chaleur nécessaire provenait du petit réacteur à fusion nucléaire séquentielle, d'une centaine de kilos seulement, suspendu dans l'ouverture de l'enveloppe. Pendant l'ascension, son laser fulgurait dix fois par seconde, déclenchant la combustion de la moindre bouffée de deutérium. Une fois en altitude, il ne fonctionnerait plus qu'un petit nombre de fois par minute, pour compenser la chaleur perdue par l'énorme sac de gaz, là-haut.

Ainsi, même à quinze cents mètres du sol, ils pouvaient entendre des chiens aboyer, des gens crier, des cloches sonner. Lentement, le vaste paysage frappé par le soleil s'élargissait au-dessous d'eux. Deux heures plus tard, ils plafonnaient à 4 800 mètres, et respiraient fréquemment de l'oxygène. Ils pouvaient se détendre et admirer le paysage : l'appareillage de bord faisait tout le travail — récolter les renseignements dont auraient besoin les créateurs du vaisseau de ligne aérien qui n'avait pas encore de nom.

C'était une journée idéale : la mousson du sud-ouest ne commencerait que dans un mois, et il y avait à peine un nuage dans le ciel. Le temps semblait avoir cessé de s'écouler ; ils subissaient de mauvais gré les contacts radio qui, toutes les heures, interrompaient leur rêverie. Et tout autour, jusqu'à l'horizon et bien au-delà, s'étendait ce paysage infini et millénaire, baigné d'histoire, ensemble de villages, de champs, de temples, de lacs, de canaux d'irrigation...

Non sans effort, Webster s'arracha au charme hypnotique de ce souvenir vieux de dix ans. Il avait de ce jour été converti au plus léger que l'air, et pris conscience de la taille immense de l'Inde, même dans un monde dont on pouvait faire le tour en quatre-vingt-dix minutes. Et pourtant, se répétait-il, Jupiter est à la Terre ce que la Terre est à l'Inde...

« En admettant que tu aies raison », dit-il, « et à supposer que les fonds soient disponibles, il y a une autre question à laquelle il te faut répondre : pourquoi ferais-tu mieux que les... combien, déjà ?... trois cent vingt-six sondes-robots qui ont déjà fait le voyage ? »

« Je suis mieux qualifié qu'elles — comme observateur et

comme pilote. Surtout comme pilote. N'oublie pas que j'ai plus d'expérience du plus léger que l'air que quiconque au monde. »

« Tu pourrais toujours tenir les commandes, tranquillement assis sur Ganymède. »

« Mais c'est justement *ça* la question ! Ça a déjà été fait. Tu ne te souviens pas de ce qui a tué la *Reine ?* »

Webster le savait parfaitement, mais il se contenta de répondre : « Continue ! »

« Le déphasage, LE DÉPHASAGE ! Cet imbécile d'opérateur de plate-forme croyait qu'il utilisait un circuit radio local, mais il avait par accident été branché sur un satellite. Oh ! ce n'était peut-être pas de sa faute, mais il aurait dû s'en rendre compte. Cela représente un décalage d'une demi-seconde pour faire l'aller et retour. Ça n'aurait pas eu d'importance par temps calme, mais il y a eu les turbulences au-dessus du Grand Canyon : quand la plate-forme a pris de la gîte, il a corrigé, mais elle penchait déjà de l'autre côté. Tu as déjà essayé de conduire une voiture sur une route cahoteuse avec une demi-seconde de retard dans la direction ? »

« Non, et je n'ai pas envie d'essayer. Mais je l'imagine très bien. »

« Bon, eh bien Ganymède est à un million de kilomètres de Jupiter, ce qui représente un délai de six secondes pour l'aller et retour. Non, il faut quelqu'un sur place, pour parer aux éventualités en temps réel. Je voudrais te montrer quelque chose : tu permets que je me serve de çà ? »

« Vas-y. »

Falcon prit une carte postale sur le bureau de Webster ; ce genre de chose était presque tombé en désuétude sur Terre, mais celle-ci représentait un paysage martien en trois dimensions, et était ornée de timbres exotiques et coûteux. Il la tint de telle sorte qu'elle pende verticalement.

« C'est un vieux truc, mais ça va me permettre d'être clair. Mets le pouce et l'index de chaque côté, sans qu'ils touchent tout à fait la carte. C'est ça, oui ! »

Webster avait tendu la main, et presque saisi la carte, mais pas tout à fait.

« Maintenant, attrape-la ! »

Falcon attendit quelques secondes, puis, à l'improviste, il lâcha la carte. Les doigts de Webster se refermèrent sur le vide.

« Je vais recommencer, rien que pour te faire voir qu'il n'y a pas de fraude. Tu vois ? »

Une fois encore, la carte était tombée en glissant à travers les doigts de Webster.

« Maintenant, à toi de me le faire. »

Cette fois, Webster saisit la carte, et la laissa tomber sans prévenir. Elle avait à peine eu le temps de se déplacer que Falcon l'attrapait. Sa réaction avait été d'une telle rapidité que Webster aurait pu imaginer entendre un déclic.

« Quand ils ont recollé les morceaux », fit Falcon d'une voix neutre, « les chirurgiens m'ont apporté quelques améliorations, dont celle-ci — mais il y en a d'autres. Je désire en tirer parti au maximum, et là où je peux le faire, c'est sur Jupiter. »

Webster resta de longues secondes les yeux fixés sur la carte tombée, regardant sans les voir les couleurs incroyables de l'Escarpement de Trivium Charontis. Puis il dit doucement : « Je comprends. Combien de temps crois-tu que ça prendra ? »

« Avec ton aide, plus le Bureau, plus toutes les fondations scientifiques qu'il nous est possible de mettre dans le coup... oh, trois ans ! Ensuite un an pour les essais — il nous faudra envoyer au moins deux maquettes. Donc, avec de la chance, cinq ans. »

« C'est à peu près ce que je pensais. J'espère que tu en auras, de la chance : tu l'as bien mérité. Mais il y a une chose que je refuse de faire. »

« Laquelle ? »

« La prochaine fois que tu partiras en ballon, ne compte pas sur moi comme passager. »

II

« PARCE QU'IL EST LÀ »

« Pourquoi veux-tu aller sur Jupiter ? »

« Comme l'a dit Springer quand il a décollé pour Pluton : Parce qu'il est là ! »

« Merci. Et maintenant qu'on s'est débarrassé de *ça,* la vraie raison ? »

Howard Falcon sourit, mais seuls ceux qui le connaissaient bien auraient pu interpréter sa légère grimace figée. Webster était de ceux-là : depuis plus de vingt ans chacun des deux était impliqué dans tous les projets de l'autre. Ils avaient partagé triomphes et désastres — y compris le pire désastre de tous.

« Eh quoi ! le cliché de Springer est encore valable : nous nous sommes posés sur toutes les planètes de type terrestre, mais sur aucune des géantes gazeuses. Dans tout le système solaire, elles seules nous défient encore. »

« C'est un défi coûteux à relever ! As-tu fait les calculs ? »

« Dans la mesure de mes moyens. Voici les estimations. Mais n'oublie pas que ce n'est pas une mission sans lendemain : c'est un système de transport. Une fois éprouvé, il peut resservir indéfiniment. Et il nous donnera accès non seulement à Jupiter, mais à toutes les géantes. »

Webster jeta un coup d'œil aux chiffres, et poussa un sifflement.

« Pourquoi ne pas commencer par une planète plus facile... Uranus par exemple ? Gravité deux fois moindre, et vitesse de libération de moins de la moitié. Un climat plus clément aussi — si c'est l'expression qui convient. »

Webster avait sans conteste bien appris sa leçon ; mais c'était bien pour ça qu'il était à la tête de la Planification à Long Terme.

III

LE MONDE DES DIEUX

Descendre de Jupiter V à Jupiter même ne prend que trois heures et demie. Peu d'hommes auraient pu dormir pendant un trajet aussi impressionnant. Le sommeil était une faiblesse que détestait Howard Falcon, et le peu qui lui était encore nécessaire amenait des rêves que le temps n'avait pu encore exorciser. Mais il ne pouvait compter se reposer pendant les trois jours à venir, et devait donc profiter au maximum de la longue chute dans cet océan de nuages, à quelque cent mille kilomètres plus bas.

Dès que le *Kon-Tiki* fut sur son orbite de transfert et que toutes les vérifications informatiques furent satisfaisantes, il se prépara à ce qui serait peut-être sa dernière période de sommeil. Il semblait à propos que presque au même moment Jupiter éclipsât le soleil minuscule mais très brillant : le vaisseau pénétrait dans l'ombre monstrueuse de la planète. Pendant quelques minutes, il fut enveloppé d'une étrange pénombre dorée ; puis un quart du ciel devint un trou d'un noir total dans l'espace, cependant que le reste était un flamboiement d'étoiles. Aussi loin que l'on voyageât à travers le système solaire, elles ne changeaient jamais, elles : on voyait briller ces mêmes constellations depuis la Terre, à des millions de kilomètres de là. Les seules choses nouvelles ici étaient les petits croissants pâles de Callisto et de Ganymède ; sans nul doute y avait-il une douzaine d'autres lunes là-haut dans le ciel, mais elles étaient toutes beaucoup trop petites, et trop lointaines, pour qu'on les distinguât à l'œil nu.

« Interruption des émissions pendant deux heures », signala Falcon au navire-base, suspendu à quinze cents kilomètres au-dessus des déserts rocheux de Jupiter V qui le protégeait des radiations : quand bien même il n'aurait jamais d'autre utilité, le minuscule satellite servait de balayeuse cosmique pour les particules ionisées qui rendaient malsain tout séjour à proximité de Jupiter ; dans le sillage de Jupiter V, d'où les radiations étaient presque totalement éliminées, un navire pouvait stationner en toute sécurité, tandis que la mort pleuvait invisible tout autour.

Falcon mit en marche l'hypno-inducteur, et bien vite sa conscience s'estompa sous l'effet des ondes électriques dont les douces pulsations s'infiltraient dans son cerveau. Pendant que le *Kon-Tiki* tombait vers Jupiter, prenant de la vitesse à chaque seconde dans ce champ de gravité colossal, il dormit sans rêves. Ceux-ci survenaient toujours lorsqu'il s'éveillait ; et il avait emporté ses cauchemars de la Terre avec lui.

Il ne rêvait pourtant jamais du moment même où il s'était écrasé au sol, mais il se retrouvait souvent face à face avec le super-singe terrifié qu'il avait rencontré en descendant l'escalier en spirale entre les alvéoles de gaz en train de s'affaisser. Aucun des supinges n'avait survécu : ceux qui n'avaient pas été tués sur le coup étaient si gravement blessés qu'on les avait « euthanasiés » sans douleur. Falcon se demandait parfois pourquoi il rêvait seulement à cette créature au sort funeste — qui lui était inconnue jusqu'aux derniers instants de sa vie — et non aux amis et aux collègues qu'il avait perdus lorsque la *Reine* avait péri.

Les rêves qu'il craignait le plus commençaient toujours par le premier instant où il avait repris conscience. Il n'avait guère éprouvé de douleur physique ; de fait, il n'avait eu de sensations d'aucune sorte. Il était plongé dans l'obscurité et le silence ; il n'avait même pas l'impression de respirer. Et — ce qui était plus étrange que tout — il était incapable de localiser ses mains et ses pieds : il ne pouvait les mouvoir parce qu'il ignorait où ils se trouvaient.

C'est le silence qui le premier s'était dissipé. Après des heures, voire des jours, il avait pris conscience d'une faible pulsation et, finalement, après mûre réflexion, conclu que c'était le battement de son propre cœur : ce fut la première de ses nombreuses erreurs.

Puis il y avait eu de légères piqûres d'épingle, de brèves

lueurs, des fantômes de pressions sur ses membres qui ne répondaient toujours pas. L'un après l'autre, ses sens lui étaient revenus, et avec eux la douleur. Il avait tout à réapprendre, en reprenant tout depuis la première enfance. Bien que sa mémoire fût intacte et qu'il comprît les paroles qu'on lui adressait, il lui avait fallu des mois avant de pouvoir répondre autrement que par un clignement de paupière. Il se souvenait de tous ses triomphes : le premier mot prononcé, la première page de livre tournée... et, finalement, le moment où il avait pu se mouvoir par ses propres moyens. Ça, c'était une véritable victoire, et il lui avait fallu deux ans pour s'y préparer. Cent fois il avait envié le supersinge mort, mais il n'avait pas eu le choix : les docteurs avaient pris leur décision... et maintenant, douze ans plus tard, il se trouvait là où nul être humain ne s'était jamais rendu auparavant, et se déplaçait plus vite que quiconque dans le cours de l'histoire.

Le *Kon-Tiki* sortait tout juste de l'ombre, et l'aube de Jupiter projetait dans le ciel au-devant un titanesque arc de lumière, lorsque la sonnerie insistante du signal tira Falcon du sommeil. Les inévitables cauchemars (il voulait appeler une infirmière mais n'avait pas la force d'appuyer sur le bouton) se dissipèrent rapidement. Il avait devant lui la grande aventure de sa vie — la dernière peut-être.

Il appela la Base, qui était maintenant à près de cent mille kilomètres de distance, et tombait rapidement en-dessous de la courbe de Jupiter, pour faire savoir que tout marchait au mieux. Sa vitesse venait de dépasser cinquante kilomètres à la seconde (une chose à inscrire dans les annales), et dans une demi-heure le *Kon-Tiki* allait prendre contact avec les couches extérieures de l'atmosphère — début de la plus difficile rentrée de tout le système solaire. Certes, des vingtaines de sondes avaient survécu à cette épreuve par le feu, mais c'étaient de denses masses d'instruments, compactes et solides, capables de résister à des accélérations de plusieurs centaines de gravités. Le *Kon-Tiki* aurait à subir des maximums de 30 g, et en moyenne plus de 10 g, avant de venir reposer sur les couches supérieures de l'atmosphère jovienne. Avec beaucoup de soin et de minutie, Falcon se mit à fixer le complexe système d'attaches qui l'amarrerait aux parois de la cabine. Lorsqu'il eut terminé, il faisait pratiquement partie de la structure du vaisseau.

L'horloge lui fournissait un compte à rebours : cent secondes avant la pénétration. Pour lui, les dés étaient jetés, pour le meilleur ou pour le pire. Dans une minute et demie, il effleurerait l'atmosphère de Jupiter, et se trouverait irrévocablement sous l'emprise du géant.

Le compte à rebours était en défaut de trois secondes — ce qui n'est pas si mal que ça, vu toutes les inconnues mises en jeu. A travers les parois de la capsule se fit entendre un soupir fantomatique, qui progressivement s'enfla jusqu'à un hurlement aigu. Ce bruit était fort différent de celui d'une rentrée vers une Terre ou Mars : dans cette atmosphère ténue d'hydrogène et d'hélium, tous les sons étaient décalés de deux octaves environ vers le haut. Sur Jupiter, le tonnerre même aurait une voix de fausset.

Avec le hurlement croissait le poids : en quelques secondes, Falcon se trouva complètement immobilisé. Son champ de vision se réduisit à l'horloge et à l'accéléromètre : 15 g, et 408 secondes encore...

A aucun moment il ne perdit conscience ; il n'avait d'ailleurs jamais pensé qu'il le ferait. La trace du *Kon-Tiki* à travers l'atmosphère jovienne devait vraiment être spectaculaire — des milliers de kilomètres de long déjà. Cinq cents secondes après l'entrée dans l'atmosphère, l'effort de traînée commença à diminuer : 10 g, 5 g, 2.... Puis la pesanteur disparut presque complètement : il était en chute libre, toute son énorme vélocité orbitale anéantie.

Il y eut une secousse brusque : les restes incandescents du bouclier thermique venaient d'être largués. Il avait rempli son office et ne serait plus nécessaire ; Jupiter pouvait bien le prendre maintenant. Falcon déboucla toutes les sangles qui le maintenaient sauf deux, et attendit que le programmeur automatique déclenchât la série suivante d'opérations, la plus critique.

Il ne vit pas surgir le premier parachute de freinage, mais il sentit la légère secousse, et la vitesse de chute diminua immédiatement. Le *Kon-Tiki* avait perdu toute sa vitesse horizontale et tombait tout droit à quinze cents kilomètres à l'heure. Tout dépendait de ce qui allait se produire dans les soixante secondes suivantes.

Au tour du second parachute ! Falcon regarda par le hublot situé au-dessus de lui, et vit à son grand soulagement que des nuages de tissu métallisé étincelant ondoyaient derrière le vaisseau. Comme une grande fleur qui s'épanouit, les milliers de mètres cubes du ballon se déployaient dans le ciel, ramassant au passage le gaz raréfié jusqu'à en être pleinement gonflés. La vitesse de chute du *Kon-Tiki* tomba à quelques kilomètres à l'heure et se stabilisa. Falcon avait maintenant tout son temps : il lui faudrait des jours et des jours pour descendre jusqu'à la surface de Jupiter.

Mais il y parviendrait en fin de compte, même sans rien y faire. Le ballon ne jouait que le rôle d'un bon parachute, mais ne pouvait en aucune façon procurer de force ascensionnelle tant que le gaz qu'il contenait était le même qu'à l'extérieur.

Avec son claquement caractéristique et plutôt déconcertant, le réacteur à fusion se mit en marche, déversant des torrents de chaleur dans l'enveloppe qui était au-dessus. Au bout de cinq minutes, la vitesse de chute était tombée à zéro ; une minute de plus et le vaisseau commençait à s'élever. Selon l'altimètre radar, le rétablissement avait eu lieu à environ quatre cent vingt-huit kilomètres au-dessus de la surface — ou de ce qui en tenait lieu sur Jupiter.

Il n'y a qu'une sorte de ballon qui puisse fonctionner dans une atmosphère d'hydrogène, le plus léger des gaz : un ballon à l'hydrogène chaud. Tant que le brûleur nucléaire fonctionnerait doucement, Falcon pourrait rester en altitude, flottant au-dessus d'un monde où le Pacifique pouvait tenir cent fois. Après avoir parcouru cinq cent millions de kilomètres, le *Kon-Tiki* justifiait enfin son nom : c'était un radeau du ciel, qui dérivait sur les courants de l'atmosphère jovienne.

Bien que tout un nouvel univers s'étendît autour de lui, il

s'écoula plus d'une heure avant que Falcon pût s'intéresser à la vue. D'abord, il lui fallut mettre à l'essai tous les appareillages de la capsule et vérifier la façon dont ils répondaient aux commandes. Il lui fallut apprendre combien de chaleur supplémentaire était nécessaire pour obtenir la vitesse ascensionnelle désirée, et combien de gaz il devait laisser échapper afin de descendre. Et surtout, il y avait la question de la stabilité : il lui fallait ajuster la longueur des câbles reliant la capsule à l'énorme ballon en forme de poire pour amortir les vibrations et rendre le mouvement aussi égal que possible. Jusqu'alors, il avait de la chance : à ce niveau, le vent était constant, et le relevé par effet Doppler indiquait une vitesse par rapport au sol de trois cent cinquante kilomètres-heure. Chiffre modeste pour Jupiter : on avait observé des vents de plus de quinze cents kilomètres-heure. Mais la pure vitesse, bien entendu, n'avait pas d'importance ; le véritable danger, c'étaient les turbulences. Si Falcon en rencontrait, seules l'habileté, l'expérience et la rapidité des réactions pourraient le sauver, choses qu'il n'était pas encore possible d'inclure dans le programme d'un ordinateur.

C'est seulement lorsqu'il fut certain d'avoir bien en main son étrange embarcation que Falcon prêta l'oreille aux adjurations de la Base : il déploya les longerons qui portaient les instruments de mesure et de relevés atmosphériques. La capsule ressemblait maintenant à un arbre de Noël décoré à la va-comme-je-te-pousse, mais continuait à voguer sans heurts sur les vents de Jupiter tout en transmettant par radio des flots de renseignements aux appareils enregistreurs du vaisseau qui flottait des kilomètres plus haut.

C'est alors seulement qu'il put enfin jeter un coup d'œil à ce qui l'entourait...

Sa première impression fut inattendue, et même un peu décevante : en ce qui concernait la dimension des choses, il aurait pu se croire en ballon au-dessus d'un paysage de nuages ordinaire de la Terre. L'horizon semblait à une distance normale ; on n'avait pas du tout le sentiment d'être sur un monde d'un diamètre onze fois supérieur à celui du sien. Puis il regarda le radar à infrarouge qui sondait les couches atmosphériques inférieures — et il comprit combien son illusion d'optique avait été énorme.

Cette couche de nuages qui semblait à cinq kilomètres était en réalité à une bonne soixantaine de kilomètres plus bas. Et l'horizon, dont il aurait estimé la distance à deux cents kilomètres, était en fait à près de trois mille kilomètres du vaisseau.

La pureté cristalline de cette atmosphère d'hydrogène et d'hélium et l'énorme courbure de la planète l'avaient totalement induit en erreur. Il était encore plus difficile d'apprécier les distances ici que sur la Lune : tout ce qu'il voyait devait au moins être multiplié par dix.

La chose n'avait rien de compliqué, et il aurait dû s'y attendre. Pourtant, pour quelque raison, elle le troublait profondément. Il avait l'impression non pas que Jupiter était gigantesque, mais qu'il avait lui-même rétréci : c'était comme s'il ne mesurait plus qu'un dixième de sa taille normale. Peut-être avec le temps s'habituerait-il à l'échelle inhumaine de ce monde ; mais, le regard fixé sur cet horizon incroyablement lointain, il lui semblait sentir un vent plus froid que l'atmosphère qui l'entourait souffler dans son âme. En dépit de tous ses arguments, cet endroit n'appartiendrait peut-être bien jamais à l'homme. Lui-même était peut-être le premier et le dernier à descendre à travers les nuages de Jupiter.

Le ciel au-dessus de lui était presque noir, à part quelques filaments de cirrus d'ammoniac, une vingtaine de kilomètres plus haut. Il y faisait froid, aux limites de l'espace, mais la température et la pression croissaient l'une et l'autre avec la profondeur. Au niveau où le *Kon-Tiki* dérivait maintenant, il faisait cinquante degrés au-dessous de zéro, et la pression était de cinq atmosphères. Cent kilomètres plus bas, il ferait aussi chaud qu'à l'équateur terrestre, et la pression serait de l'ordre de celle qui règne au fond des mers peu profondes. Conditions idéales pour la vie...

Un quart de la brève journée jovienne s'était déjà écoulé ; le soleil était à mi-hauteur dans le ciel, mais la lumière sur le paysage de nuages qui s'étendait sans interruption au-dessous avait une curieuse douceur : ces cinq cent millions de kilomètres supplémentaires avaient dépouillé le Soleil de toute sa puissance. Bien que le ciel fût clair, Falcon se surprenait sans cesse à penser à un temps très couvert. Quand la nuit tomberait, l'assaut des ténèbres serait fort rapide : quoique ce fût encore le matin, il y avait une ambiance de crépuscule d'automne. Mais bien entendu, l'automne était chose inconnue sur Jupiter, où il n'y avait pas de saisons.

Le *Kon-Tiki* était descendu au centre exact de la zone équatoriale — partie la moins colorée de la planète. La mer de nuages qui s'étendait jusqu'à l'horizon avait une pâle nuance saumon ; on n'y trouvait aucun des jaunes, des roses, voire des rouges, qui ceignaient Jupiter à de plus hautes altitudes. La Grande Tache Rouge elle-même — élément le plus spectaculaire de la planète — était à des milliers de kilomètres au sud. La tentation de descendre là avait été forte, mais la perturbation tropicale sud présentait une exceptionnelle activité — des courants dépassant les quinze cents kilomètres-heure —, et c'eût été courir après les ennuis que de plonger dans ce maelström de forces inconnues. La Grande Tache Rouge et ses mystères devraient attendre les prochaines expéditions.

Le Soleil, qui traversait le ciel deux fois plus vite que sur Terre, approchait maintenant du zénith et était éclipsé par le grand baldaquin d'argent du ballon. Le *Kon-Tiki* dérivait toujours vers l'ouest rapidement et sans à-coups ; il se maintenait à 350 kilomètres à l'heure, mais seul le radar l'indiquait. Etait-ce toujours aussi calme ici ? se demandait Falcon. Les scientifiques qui avaient parlé avec érudition de la zone des calmes équatoriaux connaissaient leur affaire, après tout. Falcon avait accueilli toutes les prévisions semblables avec beaucoup de scepticisme, et approuvé un chercheur à la modestie exceptionnelle qui lui avait dit carrément : « Il n'y a *aucun* spécialiste de Jupiter. » Eh bien, il y en aurait au moins un d'ici la fin de la journée.

S'il parvenait à survivre jusque-là.

IV

LES VOIX DES PROFONDEURS

Ce premier jour, le père des dieux lui sourit. Il régnait le même calme paisible ici sur Jupiter que, des années auparavant, lorsque Falcon flottait avec Webster par-dessus les plaines du nord de l'Inde. Il eut ainsi le temps de se rendre maître de ses nouvelles capacités, au point que le *Kon-Tiki* parût un prolongement de son corps. Une telle chance, c'était plus qu'il n'avait osé espérer, et il se prit à se demander de quel prix il pourrait avoir à la payer.

Les cinq heures de soleil étaient presque achevées ; les nuages au-dessous étaient pleins d'ombres, ce qui leur donnait une densité massive qu'ils ne possédaient pas lorsque le Soleil était plus haut. Le ciel se vidait rapidement de sa couleur, sauf à l'ouest même, où l'horizon était bordé d'une bande violette qui fonçait peu à peu. Au-dessus, le mince croissant d'une lune plus proche se détachait, pâle et blafard, sur le noir profond.

D'un mouvement si rapide que l'œil le percevait, le Soleil plongea tout droit derrière le bord de Jupiter, à trois mille kilomètres de là. Les étoiles apparurent par myriades — et parmi elles, la belle étoile du soir qu'était la Terre, juste à la frontière de la pénombre, rappelant à Falcon combien il était loin de chez lui. Elle suivit le Soleil dans sa chute vers l'ouest. La première nuit d'un homme sur Jupiter commençait.

Avec la venue des ténèbres, le *Kon-Tiki* se mit à perdre de l'altitude : le ballon, que ne chauffaient plus les faibles rayons, perdait une petite partie de sa portance. Falcon ne fit rien pour l'augmenter : il s'y attendait, et il entrait dans ses plans de descendre.

L'invisible tapis de nuages était encore à une cinquantaine de kilomètres au-dessous, et Falcon l'atteindrait vers minuit. Il apparaissait nettement sur le radar à infrarouges ; ce dernier indiquait aussi qu'il contenait, outre les gaz habituels, hydrogène, hélium et ammoniac, tout un assortiment de composés complexes du carbone. Les chimistes avaient une envie folle d'échantillons de cette barbe-à-papa rosâtre : les quelques grammes récoltés par des sondes atmosphériques n'avaient fait qu'aiguiser leur appétit. La moitié des molécules de base de la vie étaient là, qui flottaient à bonne distance au-dessus de la surface de Jupiter. Et là où il y avait de la nourriture, la vie pouvait-elle être bien loin ? Telle était la question à laquelle, au bout de cent ans et plus, personne n'avait été à même de répondre.

Le radar à infrarouges était arrêté par les nuages, mais celui à micro-ondes tranchait dedans et dévoilait couche après couche, jusqu'à la surface cachée, quatre cents kilomètres plus bas. L'accès en était interdit à Falcon par les pressions et les températures énormes : même les sondes-robots n'avaient pu l'atteindre intactes. Véritable supplice de Tantale, elle s'étendait là, inaccessible, au fond de l'écran de radar, légèrement crêpelée, et présentant une curieuse structure granuleuse que son équipement ne suffisait pas à analyser.

Une heure après le coucher du soleil, il largua sa première sonde. Elle tomba rapidement sur une centaine de kilomètres, puis se mit à flotter dans l'atmosphère plus dense, émettant des flots de signaux radio, qu'il retransmit à la Base. Il n'y avait ensuite plus rien à faire avant le lever du soleil, à part surveiller la vitesse de descente, contrôler les instruments et répondre de temps en temps à une question. Tant qu'il dérivait sur ce courant constant, le *Kon-Tiki* était parfaitement capable de veiller sur lui-même.

Juste avant minuit, c'est une femme qui prit la relève au contact radio permanent. Elle se présenta avec les plaisanteries habituelles. Dix minutes plus tard, elle rappelait, d'un ton à la fois sérieux et plein d'une vive émotion : « Howard ! Mettez-vous à l'écoute sur le canal 46 — amplification maximale. »

Le canal 46 ? Il y avait tant de circuits télémétriques qu'il ne connaissait que le numéro de ceux qui étaient cruciaux ; mais il reconnut celui-ci dès qu'il poussa le commutateur : c'était celui qui était branché sur le micro de la sonde qui flottait cent trente kilomètres plus bas, dans une atmosphère maintenant aussi dense que de l'eau.

Il n'y eut d'abord qu'un sifflement doux — quelques vents étranges qui soufflaient dans les ténèbres de ce monde inconcevable. Puis émergea lentement du bruit de fond une vibration profonde, de plus en plus forte, comme celle d'un gigantesque tambour. Elle était si basse qu'on la ressentait autant qu'on l'entendait. Les battements accéléraient régulièrement leur rythme, mais ne changeaient pas de ton. C'était maintenant une pulsation rapide, à la limite des infrasons. Elle s'arrêta soudain, au beau milieu de la vibration, si brutalement que l'esprit ne pouvait accepter le silence et que la mémoire continuait à créer un écho fantôme dans les gouffres les plus profonds du cerveau.

C'était le son le plus extraordinaire que Falcon eût jamais entendu, même parmi les innombrables bruits de la Terre. Il ne pouvait imaginer aucun phénomène naturel qui pût le produire. Et cela ne ressemblait pas non plus au cri d'un animal, pas même un des gros cétacés...

Cela recommença, avec exactement le même développement. Maintenant que Falcon s'y attendait, il évalua la longueur de la séquence : du premier battement imperceptible au crescendo final, cela dépassait juste dix secondes.

Et, cette fois-ci, il y eut un écho réel, très faible et très lointain. Peut-être était-il renvoyé par une des nombreuses couches de cette atmosphère stratifiée, plus bas ; peut-être était-il produit par une autre source lointaine. Falcon attendit un second écho, qui ne vint jamais.

La Base réagit très vite : elle lui demanda de larguer immédiatement une autre sonde. Avec deux micros en service, il serait possible de localiser approximativement les sources. Curieusement, aucun des micros extérieurs du *Kon-Tiki* lui-même ne captait autre chose que des souffles de vent : les rumeurs, quelles qu'elles fussent, devaient être arrêtées et canalisées sous une couche atmosphérique réfléchissante, loin dans les profondeurs.

Elles provenaient, découvrit-on bientôt, d'un ensemble de

sources situées à près de deux mille kilomètres. Cette distance n'indiquait nullement leur puissance : dans les océans terrestres, des sons très faibles pouvaient se transmettre tout aussi loin. Quant à l'hypothèse, qui se présentait immédiatement à l'esprit, selon laquelle elles avaient pour origine des créatures vivantes, le Docteur Brenner, directeur de la section d'exobiologie, l'écarta d'emblée : « Je serai très déçu s'il n'y a pas là de micro-organismes ou de plantes ; mais rien qui ressemble à des animaux, car il n'y a pas d'oxygène libre. Toutes les réactions biochimiques sur Jupiter doivent être à basse énergie : en aucune façon une créature active ne pourrait produire assez d'énergie pour fonctionner. »

Falcon n'était pas persuadé que cela fût vrai : il avait déjà entendu cet argument, et réservait son jugement.

« De toute façon », continua Brenner, « certains de ces sons correspondent à des longueurs d'ondes d'une centaine de mètres ! Même un animal de la grosseur d'une baleine ne pourrait les produire. Ils *doivent* avoir une origine naturelle. »

Oui, cela semblait plausible, et les physiciens proposeraient peut-être une explication. Comment, se demandait Falcon, un extra-terrestre aveugle interpréterait-il les bruits qu'il percevrait lorsqu'il se tiendrait non loin d'une mer démontée, d'un geyser, d'un volcan ou d'une cascade ? Il se pourrait bien qu'il les attribue à quelque énorme bête.

Une heure environ avant le lever du Soleil, les voix des profondeurs se turent, et Falcon se mit à vaquer à ses préparatifs pour l'aube de sa seconde journée. Le *Kon-Tiki* n'était plus maintenant qu'à cinq kilomètres au-dessus de la couche de nuages la plus proche ; la pression extérieure était montée à dix atmosphères, et la température était tropicale : 30 degrés. Un homme pouvait s'y sentir à l'aise sans autre équipement qu'un masque respiratoire et le mélange adéquat d'hélium et d'oxygène.

« Nous avons de bonnes nouvelles pour vous », lui fit savoir la Base peu après l'aube. « La couche de nuages est en train de se disloquer. Vous allez avoir une éclaircie partielle dans une heure. Mais attention aux turbulences ! »

« J'en ai déjà remarqué », répondit Falcon. « Jusqu'à quelle profondeur pourrai-je voir ? »

« Une bonne trentaine de kilomètres, jusqu'au second thermoclinal. Cette couche-là est solide : elle reste toujours intacte. »

Et elle est hors de portée, se dit Falcon : la température doit y dépasser les cent degrés. C'était bien la première fois qu'un aérostier avait à se préoccuper non de son plafond mais de son... sous-sol !

Dix minutes plus tard, il apercevait ce que la Base avait déjà pu observer grâce à l'avantage que lui conférait sa position supérieure. Il y avait un changement de couleur près de l'horizon, et la couche de nuages s'était déchiquetée et bosselée, comme si quelque chose l'avait éventrée. Il augmenta le débit de sa petite chaudière atomique, afin que le *Kon-Tiki* gagnât cinq mille mètres en altitude, pour avoir une meilleure vue.

Le ciel au-dessous de lui se dégageait rapidement, complètement, comme si la couverture solide se dissolvait. Un abîme s'ouvrait sous ses yeux. Un instant plus tard, laissant derrière lui la berge de nuages, il voguait au-dessus d'un canyon d'une trentaine de kilomètres de profondeur et de mille kilomètres de large.

Un nouveau monde s'offrait à sa vue : Jupiter s'était dépouillé d'un de ses nombreux voiles. La seconde couche de nuages, inaccessible dans sa profondeur, était de couleur beaucoup plus sombre que la première. Elle était presque rose saumon, et curieusement tachetée de petites îles rouge brique, toutes de forme ovale, leur grand axe orienté est-ouest, dans la direction des vents dominants. Il y en avait des centaines, toutes à peu près de la même taille. Elles évoquaient pour Falcon les petits cumulus boursouflés du ciel terrestre.

Il réduisit la portance, et le *Kon-Tiki* se mit à descendre le long de la paroi de la falaise en voie de dissolution. C'est alors qu'il remarqua la neige.

Des flocons blancs se formaient dans l'air et dérivaient lentement vers le bas. Pourtant, il faisait beaucoup trop chaud pour qu'il neige, et de toute façon il n'y avait guère de traces d'eau à cette altitude. D'ailleurs, nul éclat, nul scintillement n'apparaissait sur ces flocons qui descendaient en cascades dans les profondeurs. Bientôt, quelques-uns se posèrent sur le bras d'un instrument devant le hublot d'observation principal, et Falcon constata qu'ils étaient d'un blanc mat et opaque, nullement cristallins, et de bonne taille — plusieurs centimètres de diamètre. On aurait dit de la cire, et Falcon supposa que c'était précisément ce dont il s'agissait : quelque réaction chimique se produisait dans l'atmosphère aux alentours, condensant les hydrocarbures qui y flottaient.

Une centaine de kilomètres vers l'avant, la couche de nuages subissait une perturbation : les petits ovales rouges, secoués en tous sens, se mettaient à former une spirale, selon le système du cyclone si familier à la météorologie terrestre. Le tourbillon se dégageait à une vitesse incroyable. Si c'était bien là une tornade, Falcon se dit qu'il était en bien mauvaise passe.

Puis son souci fit place à l'étonnement... et à la crainte : ce n'était pas du tout une tempête qui se formait dans sa ligne de vol. Quelque chose d'énorme — qui mesurait des dizaines de kilomètres — surgissait à travers les nuages.

L'idée rassurante qu'il pourrait s'agir d'un autre nuage — tête d'un orage qui bouillonnait dans les couches inférieures de l'atmosphère — ne pouvait être caressée que quelques instants. Non : c'était quelque chose de solide qui se frayait un chemin à travers la couverture rose saumon comme un iceberg émergeant des profondeurs.

Un *iceberg* flottant sur de l'hydrogène ? C'était impossible, bien entendu ; mais peut-être n'était-ce pas un rapprochement trop absurde. Dès qu'il eut mis au point le télescope sur l'énigmatique apparition, Falcon vit qu'il s'agissait d'une masse cristalline blanchâtre striée de filets rouges et bruns. Elle devait être faite, conclut-il, de la même matière que les « flocons de neige » qui tombaient autour de lui : une chaîne de montagnes en cire. Et il s'aperçut bientôt que sa consistance n'était pas aussi solide qu'il l'avait cru : sur les bords, elle ne cessait de s'effriter et de se reformer.

« Je sais ce que c'est », fit-il savoir à la Base, qui depuis quelques minutes le bombardait de questions anxieuses. « C'est une masse de bulles, une espèce d'écume. De la mousse d'hydrocarbures. Mettez les chimistes au travail dessus... *Un instant !* »

« Qu'est-ce qu'il y a ? » cria-t-on de la Base. « Qu'est-ce qu'il y a ? »

Sans vouloir entendre les appels frénétiques qui venaient de l'espace, Falcon concentra son attention sur l'image qui occupait le champ du télescope. Il fallait qu'il soit certain : s'il commettait une erreur, il serait la risée de tout le système solaire.

Puis il se détendit, jeta un coup d'œil à la pendule, et fit taire la voix qui le harcelait depuis Jupiter V.

« Allô, la Base ! » fit-il très réglementairement. « Ici Howard Falcon, à bord du *Kon-Tiki*. Il est dix-neuf heures vingt et une minutes quinze secondes, temps astronomique. Latitude zéro degré cinq minutes ; longitude cent cinq degrés quarante-deux minutes, système un.

« Veuillez informer le Docteur Brenner qu'il y a de la vie sur Jupiter. D'une taille énorme ! »

V

LES ROUES DE POSÉIDON

« Je suis très heureux que ce que je croyais se révèle faux », répondit jovialement le Docteur Brenner par radio. La nature garde toujours un atout dans sa manche. Maintenez la caméra à longue distance braquée sur l'objectif, et transmettez-nous les images les plus stables possibles. »

Les êtres qui montaient et descendaient le long de ces pentes cireuses étaient encore trop éloignées pour que Falcon distingue beaucoup de détails ; mais ils devaient être de belle taille pour être visibles à une telle distance. Presque noirs, en forme de têtes de flèches, ils se déplaçaient par lentes ondulations de tout le corps, ce qui leur donnait un peu l'air de raies géantes nageant au-dessus de quelque récif tropical.

Peut-être était-ce quelque bétail céleste qui broutait dans les pâturages des nuages de Jupiter, car ils semblaient paître le long des sombres traînées brun-rouge qui couraient comme des ruisseaux à sec sur les flancs des falaises flottantes. Parfois, l'un d'eux plongeait à corps perdu dans la montagne d'écume et y disparaissait complètement.

Le *Kon-Tiki* ne progressait que lentement par rapport à la couche de nuages qu'il survolait, et il lui faudrait au moins trois heures pour parvenir au-dessus de ces collines éphémères. C'était une course contre le soleil : Falcon espérait bien que l'obscurité ne surviendrait pas avant qu'il ait pu jeter un bon coup d'œil aux « mantas », comme il les avait baptisées, ainsi qu'au paysage fragile au-dessus duquel elles agitaient leurs grandes nageoires.

Ces trois heures furent longues. Pendant tout ce temps, Falcon maintint les micros extérieurs à plein volume, curieux de savoir si c'était là la source des percussions nocturnes. Les mantas étaient à coup sûr d'une taille suffisante pour produire ces bruits sourds. Lorsqu'il fut à même d'obtenir des mesures précises, il constata que leurs ailes faisaient presque une centaine de mètres d'envergure — presque trois fois la longueur des plus gros cétacés —, mais il doutait qu'elles pussent peser plus de quelques tonnes.

Une demi-heure avant le coucher du Soleil, le *Kon-Tiki* était presque au-dessus des « montagnes ».

« Non », fit Falcon en réponse aux questions réitérées de la Base sur les mantas, « elles ne manifestent toujours pas de réactions à mon égard. Je ne crois pas qu'elles soient intelligentes ; ce sont apparemment d'inoffensifs végétariens. Et si d'aventure elles essaient de me prendre en chasse, je suis persuadé qu'elles ne peuvent atteindre mon altitude. »

Pourtant, il fut un peu déçu que les mantas ne lui témoignent pas le moindre intérêt lorsqu'il survola de haut leurs pâtures. Peut-être ne disposaient-elles d'aucun moyen de détecter sa présence : lorsqu'il les examina et les photographia avec le télescope, il n'aperçut nul indice d'organes sensoriels. Ces créatures n'étaient que d'immenses ailes delta noires qui ondulaient au-dessus de monts et de vaux qui, en fait, n'étaient guère plus consistants que les nuages de la Terre. Ces montagnes blanches avaient beau paraître solides, Falcon savait bien que quiconque y mettrait le pied tomberait en les crevant comme des mouchoirs de papier.

De près, Falcon put distinguer les innombrables cellules ou bulles dont ces masses étaient constituées. Il y en avait de fort grandes — un mètre environ de diamètre. Falcon se prit à songer au chaudron des sorcières où ce brouet pétrochimique avait été concocté : il devait y avoir assez d'hydrocarbures dans les basses couches de l'atmosphère jovienne pour subvenir à tous les besoins de la Terre pendant un million d'années.

La brève journée était presque achevée lorsque Falcon franchit la crête des collines de cire, et la lumière déclinait rapidement sur leurs pentes inférieures. Il n'y avait pas de mantas sur ce versant ouest, et pour une raison quelconque la topographie était fort différente : l'écume était sculptée en longues terrasses planes, comme l'intérieur d'un cratère lunaire. Falcon pouvait presque se figurer que c'étaient des marches gigantesques descendant vers la surface cachée de la planète.

Et sur la plus basse, juste au bord des nuages tourbillonnants que la montagne avait déplacés en s'élevant soudain dans le ciel, il aperçut une masse grossièrement ovale, qui faisait deux ou trois kilomètres. Elle n'était pas facile à voir, car elle était à peine plus foncée que l'écume d'un blanc grisâtre sur laquelle elle reposait. La première idée qui vint à l'esprit de Falcon fut qu'il avait sous les yeux une forêt d'arbres pâles, semblables à des champignons géants qui n'auraient jamais vu le Soleil.

Oui, ce devait être une forêt : il voyait des centaines de minces troncs qui surgissaient de la mousse blanche et cireuse dans laquelle ils étaient enracinés. Mais les arbres étaient incroyablement serrés : les intervalles entre eux étaient presque inexistants. Peut-être, après tout, n'était-ce pas une forêt, mais un arbre unique, énorme, comme ces banians géants aux troncs multiples d'Orient. Falcon avait vu une fois à Java un banian qui couvrait six cents mètres ; mais il y avait là un monstre qui faisait dix fois plus.

La lumière avait presque disparu. Le paysage de nuages était empourpré par les rayons réfractés ; dans quelques secondes ces derniers aussi se seraient éteints. Et dans les dernières lueurs de son second jour sur Jupiter, Howard Falcon vit, ou crut voir, quelque chose qui jeta sérieusement le doute sur son interprétation de l'ovale blanc.

Si ce n'était pas une illusion d'optique due à la pénombre, ces centaines de minces troncs oscillaient d'avant en arrière à un rythme parfaitement synchronisé, comme des algues ondulant à la houle.

Et l'arbre n'était plus à l'endroit où il l'avait d'abord aperçu.

« Nous sommes navrés », dit la Base, peu après le coucher du soleil, « mais nous avons tout lieu de croire que la Source Bêta va entrer en éruption dans l'heure qui suit. Probabilité soixante-dix pour cent. »

Falcon jeta un rapide coup d'œil à la carte. Bêta — latitude 140 sur Jupiter — était à plus de trente mille kilomètres, et bien en dessous de l'horizon. Bien que les grandes éruptions pussent atteindre dix mégatonnes, la distance était trop grande pour que l'onde de choc constituât un danger sérieux. Mais l'orage magnétique qu'elle allait déclencher était, lui, tout autre chose.

Les émissions décamétriques qui faisaient parfois de Jupiter la source hertzienne la plus puisssante de tout le ciel avaient été découvertes dans les années 1950, au grand étonnement des astronomes. Maintenant, plus d'un siècle après, leur cause réelle restait encore un mystère. On en comprenait seulement les symptômes, mais on n'avait pas trouvé l'explication.

C'est la théorie volcanique qui avait le mieux résisté à l'épreuve du temps, bien qu'il n'y eût personne pour se figurer que le terme « volcan » pût avoir le même sens sur Jupiter que sur la Terre. A intervalles rapprochés, parfois plusieurs fois par jour, de titanesques éruptions se produisaient dans les couches inférieures de l'atmosphère, probablement sur la surface cachée de la planète elle-même. Une immense colonne de gaz, d'un millier de kilomètres de haut, s'élevait en bouillonnant, comme pour s'échapper dans l'espace.

Elle n'avait aucune chance de vaincre l'attraction de Jupiter, plus puissante que celle de toute autre planète. Pourtant, quelques traces — quelques malheureux millions de tonnes — parvenaient d'ordinaire à atteindre l'atmosphère. Et alors tout l'enfer se déchaînait.

Les ceintures de Van Allen de la Terre font piètre figure à côté des ceintures de radiations qui entourent Jupiter. Lorsque ces dernières sont court-circuitées par une colonne de gaz ascendante, il en résulte une décharge électrique des millions de fois plus puissante que tout éclair terrestre ; un colossal coup de tonnerre électromagnétique se répand dans tout le système solaire et continue à se propager vers les étoiles.

On avait découvert que ces explosions d'énergie provenaient de quatre foyers principaux. Peut-être y avait-il là des zones de moindre résistance qui permettaient aux feux intérieurs de la planète de s'échapper de temps en temps. A partir de Ganymède, la plus grosse des nombreuses lunes de Jupiter, les savants pensaient maintenant être à même de prévoir le déclenchement d'un orage décamétrique, avec à peu près autant de précision qu'un météorologue du début du XXe siècle.

Falcon ne savait trop s'il devait se réjouir à la perspective d'un orage électromagnétique ou bien le redouter : cela rendrait certes sa mission plus fructueuse encore... si toutefois il y survivait. Sa trajectoire avait été prévue pour rester aussi loin que possible des principaux foyers de perturbation, surtout le plus actif, la source Alpha. Le hasard voulait que la menaçante Bêta fût la plus proche. Falcon espérait que la distance — près de trois quarts de la circonférence de la Terre — était une garantie suffisante de sécurité.

« Probabilité quatre-vingt-dix pour cent », annonça la Base avec une émotion très perceptible. « Et oubliez qu'on vous a parlé d'une heure : d'après la station de Ganymède, ça peut arriver d'un instant à l'autre. »

À peine la radio s'était-elle tue que la mesure du champ magnétique monta en flèche. Mais avant d'atteindre la limite supérieure de l'instrument, elle se mit à redescendre tout aussi rapidement. Au loin, à des milliers de kilomètres plus bas, quelque chose avait causé une secousse titanesque au noyau en fusion de la planète.

« Ça y est, c'est l'éruption ! » cria la Base.

« Merci, je suis déjà au courant. Quand l'orage m'atteindra-t-il ? »

« Ça va commencer dans cinq minutes, et culminer dans dix minutes. »

Au loin, par-delà la courbure de la planète, une cheminée de gaz aussi large que le Pacifique s'élevait dans l'espace à des milliers de kilomètres à l'heure. Déjà, les orages de la basse atmosphère grondaient tout autour, mais ils n'étaient rien à côté de la fureur qui allait éclater lorsque la ceinture de radiations serait atteinte et se mettrait à déverser ses excédents d'électrons sur la planète. Falcon se mit en devoir de rétracter toutes les flèches porteuses d'instruments dont la cabine était hérissée : c'étaient là toutes les précautions qu'il pouvait prendre. Il faudrait quatre heures à l'onde de choc atmosphérique pour l'atteindre ; mais le déferlement de radiations, qui se déplaçait à la vitesse de la lumière, serait sur lui en un dixième de seconde après le déclenchement de la charge.

L'appareil de contrôle radio, qui balayait tout le spectre, ne relevait toujours rien d'anormal, juste l'habituelle friture. Puis Falcon remarqua que le niveau sonore se mettait tout doucement à augmenter. L'explosion rassemblait ses forces.

À une telle distance, Falcon n'avait jamais pensé qu'il pourrait *voir* quoi que ce soit. Mais soudain une lueur vacillante, semblable à des éclairs de chaleur au loin, dansa sur l'horizon à l'est. Au même instant, la moitié des disjoncteurs du tableau de distribution principal sauta, les lumières flanchèrent, et tous les circuits de communication cessèrent de fonctionner.

Falcon essaya de bouger, mais en fut complètement incapable. Il était en proie à une paralysie qui n'était pas purement psychologique : il lui semblait avoir perdu tout contrôle de ses membres, et il ressentait un douloureux picotement dans tout le corps. Il était impossible que le champ électrique eût pu traverser les écrans qui protégeaient la cabine ; pourtant une lueur tremblotante planait sur le tableau de bord, et on entendait les crépitements distinctifs d'une décharge en série.

Avec une suite de détonations sèches, les circuits de secours se mirent en action, et les surcharges se rétablirent. Les lumières se rallumèrent en clignotant. Et la paralysie de Falcon se dissipa aussi vite qu'elle était venue.

Après un rapide coup d'œil au tableau de bord pour s'assurer que tous les circuits étaient revenus à la normale, il gagna rapidement les hublots d'observation.

Il était inutile de brancher les projecteurs : les câbles porteurs de la capsule semblaient en feu. Des traînées de lumière, brillant d'un bleu électrique sur le fond obscur, s'élevaient depuis l'anneau principal de sustentation jusqu'à l'équateur du ballon géant ; et le long de plusieurs d'entre elles roulaient lentement d'éblouissantes boules de feu.

Ce spectacle était si étrange et si beau qu'il était difficile d'y trouver quoi que ce soit de menaçant. Peu de gens, Falcon le savait, avaient jamais vu la foudre en boule de si près ; et, en tout cas, aucun d'entre eux n'avait survécu s'il était à bord d'un ballon gonflé à l'hydrogène dans l'atmosphère terrestre. Falcon songea à la façon dont le *Hindenburg* avait péri dans les flammes par la faute d'une malheureuse étincelle, au moment où le dirigeable arrivait à Lakehurst, en 1937 ; et, comme elles l'avaient déjà fait si souvent, les images terrifiantes du vieux film d'actualités défilèrent dans son esprit. Mais, en tout cas, ça ne risquait pas de se produire ici, bien qu'il y eût plus d'hydrogène au-dessus de sa tête que n'en avait jamais contenu le dernier des Zeppelins : nul ne pourrait avant des milliards d'années allumer un feu dans l'atmosphère de Jupiter.

En grésillant comme une poêle à frire, le circuit radio reprit vie : « Allô, le *Kon-Tiki*... Me recevez-vous ? Me recevez-vous ? » Les mots étaient hachés et très déformés, mais compréhensibles. Le moral de Falcon remonta : il avait repris contact avec le monde des hommes.

« Je vous reçois », dit-il. « Un sacré feu d'artifice, mais pas de dégâts... jusqu'à présent. »

« Merci... On croyait vous avoir perdu. Voudriez-vous vérifier les circuits télémétriques 3, 7 et 26, ainsi que le contraste sur la caméra n° 2. Et les taux d'ionisation indiqués par les sondes externes nous paraissent improbables... »

Falcon détourna à regret les yeux des fascinantes illuminations qui éclataient tout autour du *Kon-Tiki,* sans cependant se priver de jeter de temps en temps un regard par les hublots. Ce fut d'abord la foudre en boule qui disparut : les globes de feu, après avoir grossi lentement, atteignirent la taille critique et se dissipèrent en une discrète explosion. Mais même une heure plus tard, de vagues lueurs auréolaient encore toutes les parties métalliques découvertes à l'extérieur de la capsule ; et sur les circuits radio, le bruit de fond resta fort bien après minuit.

Le reste des heures obscures s'écoula sans incident... presque jusqu'à l'aube. En voyant une lueur à l'est, Falcon se dit qu'il s'agissait de timides prémices du lever du Soleil. Mais il s'aperçut que cela venait vingt minutes trop tôt... et que cette lueur apparue sur l'horizon s'approchait de lui à vue d'œil. Elle se détacha rapidement de la voûte d'étoiles qui marquait le bord invisible de la planète : c'était une bande relativement étroite, aux contours fort nets. On eût dit qu'un énorme projecteur faisait pivoter son faisceau au-dessous des nuages.

A une centaine de kilomètres au-dessous de la première raie de lumière mouvante, une autre, parallèle à elle, apparut, filant à la même vitesse ; et, au-delà de la seconde, une troisième, puis une autre encore... jusqu'à ce que tout le ciel fût empli de bandes alternativement scintillantes et sombres.

Falcon se jugeait maintenant accoutumé aux merveilles, et il lui semblait impossible que ce déploiement de pure luminosité silencieuse pût receler le moindre danger. Mais c'était si surprenant, et si inexplicable, qu'il sentit la panique pure, glaciale, miner sa maîtrise de soi. Nul homme ne pouvait contempler un tel spectacle sans avoir l'impression d'être un nain impuissant en présence de forces dépassant sa compréhension. Etait-il possible qu'après tout Jupiter fût porteur non seulement de vie mais aussi d'intelligence ? Et, peut-être, une intelligence qui se mettait maintenant seulement à réagir à son intrusion ?

« Oui, nous voyons cela », dit la Base, d'une voix qui faisait écho à sa propre épouvante. « Nous n'avons aucune idée de ce que ça peut être. Tenez-vous à l'écoute, nous appelons Ganymède. »

L'illumination s'estompait lentement : les bandes jaillies de l'horizon étaient beaucoup plus pâles, comme si leurs sources d'énergie s'épuisaient. En cinq minutes, tout fut terminé : la dernière lueur tremblota dans le ciel à l'ouest, puis mourut. Sa disparition laissa Falcon au comble du soulagement : cette vision était si hypnotique et si troublante qu'il n'était pas bon pour la paix de l'esprit de la contempler trop longtemps.

Falcon était plus bouleversé qu'il était prêt à l'admettre. L'orage électrique était une chose qu'il pouvait comprendre, mais ceci était totalement incompréhensible.

La Base était toujours muette. Falcon savait que sur Ganymède hommes et ordinateurs s'efforçaient de résoudre le problème, en mettant à contribution toutes les banques de données. Si cela ne suffisait pas pour trouver la solution, il faudrait faire appel à la Terre, ce qui impliquerait un délai de près d'une heure. Quant à envisager que la Terre elle-même pût n'être d'aucun secours, Falcon s'y refusait.

Jamais encore il n'avait été aussi heureux d'entendre la Base que lorsque la voix du Docteur Brenner lui parvint enfin sur les ondes. Le biologiste semblait soulagé, mais aussi éteint, comme quelqu'un qui vient de traverser une grande crise intellectuelle.

« Allô, le *Kon-Tiki* ! Nous avons trouvé une solution à votre problème, mais nous avons encore peine à y croire. Ce que vous avez vu, c'était un phénomène de bioluminescence, fort semblable à celui que produisent certains micro-organismes dans les mers tropicales de la Terre : ils sont ici dans l'atmosphère et non dans l'Océan, mais le principe est le même. »

« Mais », protesta Falcon, « la structure était si régulière !

Cela avait l'air si... artificiel ! Et ça s'étendait sur des centaines de kilomètres ! »

« C'était encore plus grand que vous l'imaginez : vous n'en avez vu qu'une petite partie. Tout l'ensemble faisait cinq mille kilomètres de large et se présentait comme une roue en train de tourner. Vous n'en avez aperçu que les rayons, qui passaient devant vous à environ un kilomètre par seconde. »

« Par *seconde* ! » ne put s'empêcher de s'exclamer Falcon. « Mais il n'y a pas d'animaux qui se déplacent à une telle vitesse ! »

« Certes non ! Mais laissez-moi vous expliquer : ce que vous avez vu a été déclenché par l'onde de choc qui provenait de la source Bêta et qui se déplaçait à la vitesse du son. »

« Et la structure, alors ? » insista Falcon.

« C'est ça qui est surprenant. Le phénomène est fort rare, mais des roues de lumière identiques — à part leur taille, mille fois plus réduite — ont été observées dans le Golfe Persique et dans l'Océan Indien. Tenez ! Du *Patna,* Compagnie des Indes Anglaises, Golfe Persique, mai 1880, 23 heures 30 : « Une énorme roue lumineuse et tournoyante, dont les rayons semblaient pousser le bateau... Ils faisaient deux ou trois cents mètres de long... chaque roue comptait environ seize rayons. » Et voici une autre observation, faite dans le Golfe d'Oman en date du 23 mai 1906 : « La luminescence très vive s'approcha de nous rapidement, en lançant vers l'ouest des rayons de lumière nettement délimités qui se succédaient rapidement, comme le faisceau du projecteur d'un vaisseau de guerre... Sur notre gauche se forma une gigantesque roue de feu dont les rayons se plongeaient à perte de vue. L'ensemble tournoya pendant deux ou trois minutes... » L'ordinateur-archives de Ganymède a déniché près de cinq cents cas de ce genre, et nous en aurait fourni un relevé imprimé complet si nous ne l'avions pas arrêté à temps. »

« Je vous crois... mais je reste perplexe ! »

« Je ne saurais vous le reprocher ! On n'a élaboré une explication complète qu'à la fin du xxᵉ siècle. Il semble que ces roues lumineuses soient le résultat de séismes sous-marins ; elles apparaissent toujours en eaux peu profondes, où les ondes choc peuvent se réfléchir et former des ensembles constants : parfois des raies, parfois des roues qui tournent — on les appelle « Roues de Poséidon ». On a finalement démontré cette théorie en provoquant des explosions sous-marines et en photographiant les résultats depuis un satellite. Pas étonnant que les marins aient été superstitieux : qui eût cru à une chose pareille ? »

Alors, c'était donc ça ! se dit Falcon. Lorsque la source Bêta a piqué sa crise, elle a dû envoyer des ondes de choc dans toutes les directions : à travers les gaz comprimés de la basse atmosphère, à travers la masse solide de la planète elle-même. En se rejoignant, en s'entrecroisant, ces ondes ont dû tantôt s'annuler, tantôt se renforcer : toute la planète a dû résonner comme une cloche.

Mais cette explication ne dissipait pas le sentiment d'émerveillement et de crainte révérencielle : Falcon ne pourrait jamais oublier ces bandes scintillantes qui filaient à travers les profondeurs inaccessibles de l'atmosphère jovienne. Il avait l'impression d'être non pas simplement sur une planète inconnue, mais dans quelque univers magique entre le mythe et la réalité.

C'était un monde où absolument *tout* pouvait arriver, et où nul homme ne pouvait deviner ce que l'avenir allait apporter.

Et Falcon avait encore une journée entière devant lui.

VI

MÉDUSE

Quand vint l'aube véritable, elle amena un brusque changement de temps. Le *Kon-Tiki* faisait route à travers le blizzard : des flocons cireux tombaient, si drus que la visibilité était réduite à zéro. Falcon songeait avec inquiétude au poids qui pourrait s'accumuler sur l'enveloppe, lorsqu'il remarqua que tous les flocons qui se posaient devant les hublots disparaissaient rapidement : le dégagement continuel· de chaleur du *Kon-Tiki* les faisait évaporer aussi vite qu'ils arrivaient.

Si la Terre avait été le théâtre de ce vol en ballon, Falcon se serait aussi inquiété d'une collision éventuelle ; mais ce risque du moins n'existait pas sur Jupiter : il ne pouvait y avoir de montagnes que plusieurs centaines de kilomètres plus bas ; quant aux îles flottantes d'écume, si le *Kon-Tiki* les heurtait, elles se laisseraient sillonner sans beaucoup plus de résistance que des bulles de savon.

Falcon brancha néanmoins le radar horizontal, qui jusqu'alors avait été parfaitement inutile : seul le faisceau vertical lui avait servi à connaître la distance de la surface invisible. Il eut alors une autre surprise.

Tout un secteur du ciel vers l'avant était parsemé d'échos brillants et de grande taille, tout à fait isolés les uns des autres, et apparemment suspendus dans l'espace sans le moindre support. Falcon se rappela une expression utilisée par les pionniers de l'aviation pour désigner un des risques du métier : « des nuages truffés de rochers ». Cela semblait parfaitement correspondre à ce que le *Kon-Tiki* allait trouver sur sa route.

C'était une vision déconcertante. Falcon se fit alors la leçon : rien de véritablement solide ne pouvait flotter dans cette atmosphère. C'était peut-être quelque étrange phénomène météorologique. En tout as, l'écho le plus proche provenait de quelque deux cents kilomètres.

Il fit son rapport à la Base, qui ne put lui fournir d'explication, mais lui annonça une bonne nouvelle : dans trente minutes, il se serait dégagé du blizzard.

Mais ce qu'elle ne lui signala pas, c'est le violent vent de travers qui se saisit brutalement du *Kon-Tiki* et l'entraîna presque perpendiculairement à sa direction première. Falcon dut faire appel à toute son adresse et aux moindres possibilités de manœuvre qu'offrait son peu maniable appareil pour l'empêcher de chavirer. Au bout de quelques minutes, il fonçait vers le nord à cinq cents kilomètres à l'heure. Puis, aussi soudainement qu'elle avait commencé, la perturbation cessa : il filait toujours à grande vitesse, mais en atmosphère calme. Il se demanda s'il n'avait pas été pris dans l'équivalent jovien d'un courant-jet.

La tempête de neige se dissipa. Alors, il vit ce que Jupiter lui avait préparé.

Le *Kon-Tiki* s'était engagé dans l'entonnoir d'un gigantesque cyclone de quelque mille kilomètres de large, et était emporté le long d'un mur de nuages incurvé. Au-dessus, le Soleil brillait dans un ciel clair ; mais loin au-dessous, ce grand puits foré dans l'atmosphère s'enfonçait à des profondeurs inconnues jusqu'à un plancher de brouillard où les éclairs se succédaient presque sans interruption.

Le vaisseau était entraîné vers le bas si lentement qu'il n'y avait pas de danger immédiat ; néanmoins, Falcon augmenta l'apport de chaleur à l'enveloppe jusqu'à ce que le ballon se maintînt à une altitude constante. C'est alors seulement qu'il se détourna du fantastique spectacle extérieur pour revenir au problème posé par le radar.

L'écho le plus proche n'était plus qu'à une quarantaine de kilomètres. Falcon se rendit compte bien vite que tous ces échos étaient répartis sur les flancs de l'entonnoir dont ils suivaient le mouvement ; ils étaient apparemment pris dans le tourbillon tout comme le *Kon-Tiki*. Il braqua le télescope dans la même direction que le radar : un étrange nuage pommelé emplit presque le champ de vision.

Il était à peine visible, guère plus sombre que le fond de brume tourbillonnante. C'est seulement après l'avoir observé pendant plusieurs minutes que Falcon se rendit compte qu'il l'avait déjà rencontré une fois.

La première fois, cette chose se mouvait sur les montagnes d'écume à la dérive, et Falcon l'avait prise pour un arbre géant à troncs multiples. Maintenant enfin, il pouvait se faire une idée exacte de sa taille et de sa complexité, et lui attribuer un nom plus approprié pour fixer son image dans son esprit. Cela ne ressemblait pas du tout à un arbre, mais à une méduse, comme celles qu'on peut voir dériver, leurs tentacules flottant derrière elles, au gré des tourbillons chauds du Gulf Stream.

Mais cette méduse-ci avait plus d'un kilomètre et demi de

large, et ses dizaines de tentacules ballants faisaient des centaines de mètres de long. Ils oscillaient lentement d'avant en arrière à l'unisson, mettant plus d'une minute à achever chaque ondulation : on aurait presque dit que cette créature progressait gauchement en ramant dans le ciel.

Les autres échos étaient ceux de méduses plus éloignées. Falcon braqua le télescope sur une demi-douzaine d'entre elles, et ne discerna aucune différence de forme ni de taille. Elles semblaient appartenir toutes à la même espèce. Pourquoi donc, se demanda-t-il, tournaient-elles en rond paresseusement à la dérive sur cette orbite de mille kilomètres ? Peut-être se nourrissaient-elles du plancton aérien aspiré par le tourbillon comme le *Kon-Tiki* lui-même l'avait été.

« Est-ce que vous vous rendez compte, Howard », fit le Docteur Brenner, lorsqu'il fut remis de sa stupéfaction initiale, « que cette chose fait environ cent mille fois la taille de nos plus grosses baleines ? Et même si ce n'est qu'une poche de gaz, elle doit quand même peser un million de tonnes ! Je me demande vraiment ce que peut être son métabolisme : il faut qu'elle produise des mégawatts de chaleur pour ne pas perdre d'altitude. »

« Mais si ce n'est qu'une poche de gaz, pourquoi diable réfléchit-elle si bien les ondes radar ? »

« Je n'en ai pas la moindre idée. Pouvez-vous vous en approcher ? »

La question de Brenner n'était pas purement rhétorique : en changeant d'altitude pour profiter des différentes vitesses de vent, Falcon pouvait venir aussi près de la méduse qu'il le voulait ; mais il préférait pour l'instant s'en tenir à quarante kilomètres, et le dit avec fermeté.

« Je comprends votre point de vue », répondit Brenner, un peu à contrecœur. « Restons donc où nous sommes pour le moment. » Falcon trouva le « nous » fort plaisant : une distance de cent mille kilomètres transformait considérablement la façon de voir les choses.

Pendant les deux heures suivantes, le *Kon-Tiki* se laissa entraîner sans incidents dans la ronde du grand tourbillon, pendant que Falcon faisait des essais de filtres et de contraste pour tenter de voir clairement la méduse. Il commençait à se demander si sa coloration indistincte n'était pas une forme de camouflage : peut-être, comme beaucoup d'animaux terrestres, essayait-elle de se confondre avec l'arrière-plan, tactique utilisée aussi bien par les chasseurs et par les proies.

A laquelle de ces deux catégories appartenait la méduse ? Falcon ne pouvait guère escompter une réponse à cette question dans le peu de temps qui lui restait. Pourtant, juste avant le milieu du jour, tout à fait à l'improviste, cette réponse lui fut donnée...

Comme une escadrille de chasseurs à réaction d'autrefois, cinq mantas surgirent du mur brumeux du tourbillon. Volant en formation triangulaire, elles foncèrent droit vers le nuage gris pâle de la méduse. Il s'agissait d'une attaque, Falcon n'en put douter un seul instant : il s'était bien trompé en supposant que c'étaient d'inoffensifs végétariens !

Pourtant, tout se déroulait à un rythme si indolent qu'on aurait cru voir un film au ralenti. Les mantas, qui, avec leurs mouvements ondulants, faisaient peut-être du cinquante à l'heure, semblèrent mettre des siècles à atteindre la méduse ; celle-ci continuait imperturbablement à ramer plus lentement encore. Pour énormes qu'elles fussent, les mantas avaient l'air minuscules à côté du monstre dont elles approchaient. Lorsqu'elles s'abattirent sur son dos à grands coups d'ailes, on aurait dit des oiseaux se posant sur une baleine.

La méduse avait-elle les moyens de se défendre ? se demanda Falcon. Il ne voyait pas comment les agresseurs pourraient être en danger tant qu'ils évitaient ces immenses tentacules maladroits. D'ailleurs, leur hôte n'était peut-être pas même conscient de leur présence : ce pouvaient être d'insignifiants parasites, tolérés, comme des puces sur un chien.

Mais il devenait évident que la méduse était en mauvaise posture : avec une angoissante lenteur, elle se mit à basculer comme un bateau qui chavire ; au bout de dix minutes, elle avait pris une gîte de quarante-cinq degrés, tout en perdant rapidement de l'altitude. Il était impossible de ne pas ressentir de pitié pour le monstre aux abois, qui chez Falcon faisait de plus resurgir d'amers souvenirs : la chute de la méduse parodiait grotesquement les derniers instants de la *Reine* mourante.

Il savait pourtant que ses sympathies se fourvoyaient : l'intelligence ne pouvait atteindre un haut niveau que chez des prédateurs, et non parmi l'apathique bétail qui passait dans la mer ou le ciel. Les mantas appartenaient à une espèce beaucoup plus proche de lui que cette monstrueuse poche de gaz. D'ailleurs, qui pourrait *vraiment* se sentir des affinités avec une créature cent mille fois plus grosse qu'une baleine ?

Il remarqua alors que la tactique de la méduse semblait avoir quelque effet : les mantas, gênées par sa lente rotation, s'envolaient lourdement de son dos, comme des vautours dérangés pendant qu'ils sont en train de se repaître. Mais elles ne s'éloignaient guère : elles planaient toujours à quelques mètres du monstre qui continuait à chavirer.

Il y eut soudain un éclair aveuglant, et au même instant un tonnerre de parasites à la radio. Une des mantas bascula lentement et tomba à pic, suivie d'un panache de fumée noire. La ressemblance avec un avion abattu en flammes était troublante.

Toutes ensemble, les rescapées s'éloignèrent en piqué de la méduse, prenant de la vitesse en perdant de l'altitude. En quelques minutes, elles avaient disparu dans le mur de nuages dont elles avaient surgi. Et la méduse, cessant de tomber, commença à reprendre son équilibre normal. Bientôt, elle flottait à nouveau à l'horizontale, comme si rien ne s'était passé.

« Formidable ! » s'exclama le Docteur Brenner après un instant de silence abasourdi. « Elle s'est dotée d'une protection électrique, comme certaines de nos anguilles et de nos raies. Mais cette décharge devait faire quelque chose comme un million de volts ! Apercevez-vous des organes capables de la produire ? Quelque chose qui ressemble à des électrodes ? »

« Non », répondit Falcon, après avoir utilisé le plus fort grossissement du télescope. « Mais voici quelque chose de curieux. Vous voyez cet ensemble de marques ? Reportez-vous aux photos antérieures : je suis sûr que ça n'y était pas. »

Une large bande marbrée était apparue sur le flanc de la méduse, formant un damier d'une surprenante régularité, dont chaque carré présentait lui-même un motif secondaire complexe de courtes lignes horizontales, équidistantes, et disposées de façon parfaitement géométrique en rangées et en colonnes.

« Vous avez raison », fit le Docteur Brenner, sur un ton qui tenait de la crainte révérencielle. « Ça vient d'apparaître. Et je n'ose pas vous dire ce que je crois que c'est. »

« Eh bien, moi qui n'ai pas de réputation à perdre — du moins en tant que biologiste — voulez-vous que je hasarde mon hypothèse ? »

« Allez-y ! »

« C'est un vaste dispositif radio pour ondes courtes, du type de ceux qu'on utilisait au début du XXe siècle. »

« C'est ce que je craignais de vous entendre dire. Maintenant nous savons pourquoi cela nous renvoyait un écho aussi puissant. »

« Mais pourquoi est-ce apparu seulement maintenant ? »

« C'est probablement un effet consécutif à la décharge. »

« Je viens de penser à autre chose », dit Falcon avec une certaine lenteur. « Croyez-vous que cette chose nous écoute ? »

« Sur une telle fréquence ? J'en doute. Il y a là des antennes métriques... non, décamétriques, à en juger d'après leur taille. Tiens, ça me donne une idée ! »

Le Docteur Brenner se tut : de toute évidence, il explorait quelque nouvelle voie. Bientôt il reprit : « Je parie qu'elles sont accordées aux explosions radio ! C'est un point auquel la nature n'est jamais arrivée sur Terre : nous avons des animaux équipés de sonars, ou même capables de percevoir l'électricité, mais aucun n'a jamais élaboré un sens radio. Pourquoi s'en donner la peine alors qu'il y avait tant de lumière ? Mais ici, c'est tout différent : Jupiter est saturé d'énergie radio ; ça vaut la peine de l'utiliser, peut-être même de l'exploiter. Cette chose pourrait être une centrale flottante ! »

Une nouvelle voix intervint dans la conversation : « Ici le Chef de Mission. Tout ceci est très intéressant, mais il y a une question beaucoup plus importante à régler : cette créature est-elle intelligente ? Si oui, il nous faut envisager les procédures de premier contact. »

« Avant de venir ici », fit le Docteur Brenner d'un air un peu contrit, « j'aurais juré que pour fabriquer un système d'antennes hertziennes, il fallait être intelligent. Je n'en suis plus si sûr maintenant. Il pourrait y avoir là une évolution naturelle. J'imagine que ça n'a rien de plus extraordinaire que l'œil humain. »

« Alors, pour plus de sécurité, il faut supposer qu'il s'agit bien d'intelligence. En conséquence, cette expédition est désormais soumise à toutes les dispositions de la Directive Primordiale. »

Il y eut un long silence : tous ceux qui étaient sur le circuit radio assimilaient les conséquences que cela impliquait. Pour la première fois dans l'histoire de l'astronautique, les règles établies au bout d'un bon siècle de discussions allaient peut-être devoir être appliquées. L'homme avait, espérait-on, tiré la leçon des erreurs qu'il avait commises sur la Terre ; pour des raisons morales, mais aussi dans son propre intérêt, il ne fallait pas qu'il les réitère sur les autres planètes. Il pourrait être catastrophique de traiter une intelligence supérieure comme les pionniers américains avaient traité les Indiens, ou comme presque tout le monde avait traité les Africains...

La première règle était de garder ses distances : ne faites aucune tentative pour vous approcher, ni même pour communiquer, avant que « les autres » aient eu bien le temps de vous étudier. Ce qu'on entendait par « bien le temps », nul n'avait jamais été capable d'en décider ; c'était laissé à la discrétion de la personne qui se trouverait sur place.

Une responsabilité à laquelle Falcon n'avait jamais songé venait de s'abattre sur lui. Durant les quelques heures qui lui restaient à passer sur Jupiter, il allait peut-être devenir le premier ambassadeur de la race humaine.

Il y avait là une ironie du sort si savoureuse qu'il regretta presque que les chirurgiens ne lui eussent pas fait recouvrer la faculté de rire.

VII

LA DIRECTIVE PRIMORDIALE

Il commençait à faire sombre, mais Falcon le remarqua à peine tant son regard était tendu vers ce nuage vivant qu'encadrait le télescope. Le vent qui poussait régulièrement le *Kon-Tiki* autour de l'entonnoir de la grande tornade l'avait maintenant amené à une vingtaine de kilomètres de cette créature ; si cette distance se réduisait à moins de dix, des manœuvres de repli s'imposeraient. Falcon était persuadé que les armes électriques de la méduse étaient de courte portée, mais il ne souhaitait pas en faire l'expérience. Ce problème serait pour les futurs explorateurs, et il leur souhaitait bien de la chance.

Il faisait maintenant fort sombre dans la capsule : c'était étrange, car il restait encore des heures avant le coucher du Soleil. Machinalement, Falcon jeta un coup d'œil au radar à balayage horizontal, comme il le faisait toutes les trois ou quatre minutes : à part la méduse qu'il observait, il n'y avait rien dans un rayon de cent kilomètres autour de lui.

Soudain, avec une puissance saisissante, il entendit résonner ce bruit qui avait surgi de la nuit jupitérienne : cette pulsation profonde qui battait de plus en plus vite, puis s'arrêtait en plein crescendo. Toute la capsule vibra à l'unisson comme un pois dans une grosse caisse.

Dans le silence douloureux brusquement revenu, Falcon se rendit compte presque simultanément de deux choses. Cette fois-ci, le bruit ne lui parvenait pas par un circuit radio d'une source située à des milliers de kilomètres : il était dans l'atmosphère ambiante elle-même.

la deuxième constatation était plus inquiétante encore. Il avait complètement oublié — c'était inexcusable, mais il s'était préoccupé de questions apparemment plus importantes — que la majeure partie du ciel au-dessus de lui était complètement masquée par le ballon de gaz du *Kon-Tiki* qui, légèrement argenté pour mieux conserver la chaleur, faisait écran aussi efficacement pour le radar que pour la vue.

Ceci, bien entendu, n'avait pas échappé à Howard Falcon, qui y avait vu un défaut mineur, tolérable dans la mesure où il semblait sans importance. Il en saisissait maintenant toute l'importance, en apercevant la herse de tentacules gigantesques, plus épais que n'importe quel tronc d'arbre, qui s'abaissait tout autour de la capsule.

Il entendit Brenner crier : « N'oubliez pas la Directive Primordiale ! Ne faites rien pour l'alarmer ! » Avant qu'il eût pu répondre de façon appropriée, le puissant battement de timbale reprit, submergeant tout autre son.

Ce à quoi on reconnaît un pilote d'essai vraiment expert, c'est la façon dont il réagit non aux urgences prévisibles mais à celles auxquelles nul n'aurait pu s'attendre. Falcon n'hésita pas plus d'une seconde pour analyser la situation : d'un geste vif comme l'éclair, il tira sur la corde d'ouverture.

Ce terme était une survivance archaïque du temps des premiers ballons à hydrogène : à bord du *Kon-Tiki,* cette corde d'ouverture n'éventrait pas la poche de gaz, mais actionnait seulement un ensemble de panneaux ménagés dans toute la calotte supérieure de l'enveloppe. Aussitôt, le gaz chaud commença à s'échapper, et le *Kon-Tiki*, privé de sustentation, amorça une chute rapide, sour l'effet de cette gravité deux fois et demie plus forte que celle de la Terre.

Falcon eut un bref aperçu d'énormes tentacules qui fouettaient le vide et s'éloignaient vers le haut. Il eut juste le temps de constater qu'ils étaient parsemés de vastes sacs, vésicules de flottaison sans doute, et se terminaient par une multitude de minces filaments semblables aux racines d'une plante. Il s'attendait presque à un éclair, mais rien ne se produisit.

Sa descente précipitée ralentit à mesure que l'atmosphère s'épaississait, l'enveloppe dégonflée faisant office de parachute. Lorsque le *Kon-Tiki* fut tombé de plus de trois mille mètres, Falcon jugea prudent de refermer les panneaux. Le temps que la portance et l'équilibre fussent rétablis, et il avait perdu seize cents mètres de plus : il approchait dangereusement de sa limite de sécurité.

Falcon jeta un regard anxieux par les hublots du dessus, tout en se disant que la masse du ballon ne lui permettrait sans doute pas de voir quoi que ce soit d'autre. Mais le *Kon-Tiki* avait un peu obliqué en descendant, et une petite partie de la méduse était visible, deux ou trois mille mètres plus haut — beaucoup plus près que Falcon ne l'escomptait ; d'ailleurs, elle continuait à descendre, plus vite qu'il ne l'eût cru possible.

La Base lui lançait des appels angoissés. Falcon cria : « Je suis sain et sauf... mais elle me suit toujours, et je ne peux pas descendre plus bas. »

Ce n'était pas tout à fait vrai : il pouvait descendre beaucoup plus bas, près de trois cents kilomètres ; mais ce serait un voyage sans retour, dont la plus grande partie ne présenterait guère d'intérêt pour lui.

Puis il constata, à son grand soulagement, que la méduse se redressait, à moins d'un kilomètre et demi de lui. Peut-être avait-elle décidé que la prudence s'imposait à l'égard de cet intrus insolite ; à moins qu'elle ne trouvât elle aussi ces couches plus profondes trop chaudes pour elle. La température dépassait en effet cinquante degrés, et Falcon commençait à se demander combien de temps encore les systèmes de protection pourraient faire leur office.

Le Docteur Brenner fut à nouveau en ligne : il se préoccupait toujours de la Directive Primordiale : « N'oubliez pas : c'est peut-être tout simplement de la curiosité ! » s'écria-t-il sans grande conviction. « Tâchez de ne pas l'effrayer ! »

Falcon était plutôt las de ce genre de conseil. Cela lui rappelait une discussion entre un astronaute et un spécialiste de droit interplanétaire, qu'il avait suivie à la télévision. Après un exposé détaillé de tout ce qu'impliquait la Directive Primordiale, le spationaute incrédule s'était exclamé : « Alors, s'il n'y a pas d'alternative, je dois me tenir tranquille et me laisser bouffer ? », ce à quoi le légiste avait répondu sans l'ombre d'un sourire : « Voilà un excellent résumé. »

Falcon avait trouvé ça drôle, mais maintenant ce n'était plus amusant du tout.

Et puis il constata quelque chose qui l'alarma davantage

encore : si la méduse planait encore à quelque quinze cents mètres au-dessus de lui, un de ses tentacules, en revanche, s'allongeait incroyablement tout en s'amincissant et se tendait en direction du *Kon-Tiki*. Lorsqu'il était enfant, Falcon avait vu un jour le cône d'une tornade descendre d'un nuage d'orage sur les plaines du Kansas : ce qui s'approchait maintenant de lui faisait surgir de vifs souvenirs du serpent noir qui se tordait alors dans le ciel.

« Mes possibilités se restreignent à vue d'œil », fit-il savoir à la Base. « Je n'ai plus le choix maintenant qu'entre lui faire une belle frayeur et lui causer une bonne indigestion — car je ne pense pas qu'elle trouvera le *Kon-Tiki* facile à digérer, si telle est son intention. »

Il attendit les commentaires de Brenner, mais le biologiste resta muet.

« Très bien. Il reste vingt-sept minutes avant l'heure prévue, mais j'enclenche le programme de mise à feu. J'espère avoir assez d'énergie en réserve pour corriger mon orbite par la suite. »

La méduse n'était plus visible : elle était de nouveau juste à la verticale. Mais Falcon savait que le tentacule qui descendait vers le ballon devait en être tout proche maintenant. Il faudrait presque cinq minutes pour que le réacteur atteigne sa puissance maximale...

Le dispositif de fusion était amorcé. L'ordinateur d'orbite n'avait pas écarté l'hypothèse comme totalement irréaliste. Les bouches à air étaient ouvertes, prêtes à engouffrer à la demande des tonnes du mélange ambiant d'hydrogène et d'hélium. Même dans les conditions optimales, c'eût été là l'instant de vérité, car il n'y avait pas eu moyen de faire des essais pour savoir comment un statoréacteur fonctionnerait *en fait* dans l'étrange atmosphère de Jupiter.

Quelque chose fit osciller doucement le *Kon-Tiki* ; Falcon s'efforça d'en faire abstraction.

La mise à feu avait été prévue dix mille mètres plus haut, dans une atmosphère à la densité plus de quatre fois moindre et à une température plus basse de trente degrés. Tant pis !

Quel était le minimum auquel il pouvait se permettre de

réduire la plongée nécessaire au fonctionnement des bouches à air ? Lorsque la réaction se déclencherait, le *Kon-Tiki* se précipiterait vers Jupiter, avec deux gravités et demie pour l'aider à y parvenir plus vite. Serait-il possible de redresser à temps ?

Une immense et lourde main tapota le ballon, faisant aller et venir tout le vaisseau de haut en bas comme un de ces yoyos récemment revenus en vogue sur la Terre.

Certes, Brenner *pouvait* avoir parfaitement raison. Peut-être s'agissait-il de gestes d'amitié. Peut-être Falcon devrait-il tenter de parler à la méduse par radio. Et en quels termes : « Gentil minou », « Couché, Fido ! » ou « Conduisez-moi à votre chef » ?

La proportion tritium-deutérium était maintenant la bonne. Il n'y avait plus qu'à allumer la bougie, avec une allumette de cent millions de degrés.

Le mince bout du tentacule, glissant comme un serpent autour du ballon, apparut au bord à une vingtaine de mètres. Il avait à peu près la taille d'une trompe d'éléphant, et sans doute aussi sa sensibilité, à voir comme il se déplaçait délicatement. Il se terminait par de petits palpes, telles des bouches chercheuses. Le Docteur Brenner aurait sûrement été fasciné.

Ce moment en valait bien un autre. Falcon parcourut rapidement des yeux l'ensemble du tableau de bord, déclencha le dernier compte à rebours de quatre secondes avant la mise à feu, brisa le plomb de sécurité et appuya sur le bouton de largage.

Il y eut une explosion brutale et une immédiate impression de perte de poids : le *Kon-Tiki* piquait du nez, en chute libre, tandis qu'au-dessus le ballon abandonné filait vers le haut, entraînant avec lui le tentacule indiscret. Falcon n'eut pas le temps de voir si la poche de gaz heurtait effectivement la méduse, car à cet instant le statoréacteur s'alluma, et il eut autre chose à penser.

Une colonne d'hydrohélium brûlant jaillissait en rugissant des tuyères du réacteur, augmentant rapidement sa poussée — mais en direction de Jupiter : Falcon ne pouvait pas encore s'en éloigner, car la commande de direction était trop molle. Si d'ici cinq secondes la capsule ne répondait pas parfaitement et ne pouvait être mise en vol horizontal, elle s'enfoncerait trop profondément dans l'atmosphère et serait détruite.

Avec une désespérante lenteur — ces secondes n'avaient pas l'air d'être cinq, mais cinquante ! — Falcon parvint à compenser puis à redresses. Il ne jeta qu'un seul coup d'œil derrière lui, et eut une dernière vision de la méduse, à des kilomètres de distance. Elle avait apparemment laissé échapper le ballon abandonné par le *Kon-Tiki,* car il n'en vit pas trace.

Falcon était maintenant à nouveau maître de son sort : il ne dérivait plus, soumis sans recours aux vents de Jupiter, mais, chevauchant sa propre colonne de flamme atomique, il remontait vers les étoiles. Il pouvait compter sur le statoréacteur pour augmenter régulièrement son élan et son altitude jusqu'à ce qu'il approche de la vitesse orbitale à la limite de l'atmosphère. Alors, en déchaînant un bref instant la propulsion de pur type fusée, il recouvrerait la liberté de l'espace.

A mi-chemin de son orbite, il regarda vers le sud, et aperçut la formidable énigme de la Grande Tache Rouge — cette île flottante deux fois plus grande que la Terre — qui apparaissait au-dessus de l'horizon. Il resta à contempler sa mystérieuse beauté jusqu'au moment où l'ordinateur le prévint que le passage à la propulsion classique devait se faire dans soixante secondes seulement.

« Une autre fois », murmura-t-il.

« Qu'est-ce qu'il y a ? » fit la Base. « Qu'avez-vous dit ? »

« C'est sans importance », répondit-il.

VIII

ENTRE DEUX MONDES

« Tu es un héros maintenant, Howard », disait Webster, « et non pas simplement une célébrité. Tu as donné aux gens de quoi penser, mis un peu de piquant dans leur existence. Il n'y en a pas un sur un million qui fera vraiment le voyage vers les Géantes Extérieures, mais toute la race humaine s'y rendra en imagination. Et c'est cela qui compte. »

« Je suis heureux d'avoir rendu ta tâche un peu plus facile. »

Webster était un ami de trop longue date pour se vexer de cette note ironique ; mais il en fut surpris. Et ce n'était pas le premier changement qu'il remarquait chez Howard depuis que celui-ci était revenu de Jupiter.

L'Administrateur montra du doigt sur son bureau la plaque portant la célèbre inscription empruntée à un imprésario d'un autre âge : « ÉTONNEZ-MOI ! »

« Je n'ai pas honte de mon travail. De nouvelles connaissances, de nouvelles ressources, tout cela est très bien. Mais les hommes ont aussi besoin d'être surpris et passionnés. Les voyages spatiaux étaient tombés dans la routine, et tu en as fait à nouveau une grande aventure. Il faudra du temps, beaucoup de temps, avant que Jupiter soit catalogué ; et peut-être plus longtemps encore avant que nous comprenions ces méduses. Je persiste à penser que ton angle aveugle était bel et bien *connu*. Quoi qu'il en soit, as-tu pris une décision pour la suite ? Saturne, Uranus, Neptune... tu as le choix. »

« Je ne sais pas. J'ai pensé à Saturne, mais on n'a pas vraiment besoin de moi là-bas : la pesanteur n'y est que de 1 g, et non de deux et demie comme sur Jupiter ; les hommes peuvent donc très bien s'en tirer. »

Les *hommes,* il a dit « les hommes », pensa Webster. Il n'avait jamais fait ça auparavant. Et quand a-t-il utilisé pour la dernière fois le mot « nous » ? Il est en train de changer, de prendre la tangente...

« Eh bien », fit-il à haute voix, en se levant de son fauteuil pour dissimuler son léger embarras, « nous allons ouvrir la conférence : les caméras sont en place et tout le monde attend. Tu vas rencontrer beaucoup de vieux amis. »

Il accentua ce dernier mot, mais Howard ne manifesta aucune réaction : son visage tanné était un masque de plus en plus indéchiffrable. Il se contenta de s'éloigner du bureau de l'administrateur en roulant à reculons, de déverrouiller son train porteur de sorte qu'il ne formât plus fauteuil, et de s'élever sur ses vérins hydrauliques jusqu'à sa pleine hauteur de deux mètres dix. Les chirurgiens s'étaient montrés bons psychologues en lui donnant ces trente centimètres de plus, pour compenser quelque peu tout ce qu'il avait perdu quand la *Reine* s'était écrasée au sol.

Falcon attendit que Webster eût ouvert la porte, puis se dirigea vers elle — après un impeccable tournant sur place sur ses pneus ballons — sans bruit ni à-coups, à trente à l'heure. Dans cette démonstration de vitesse et de précision, il n'y avait nulle pose, nulle arrogance : c'était devenu une façon d'agir tout à fait inconsciente.

Howard Falcon, qui avait jadis été un homme, et qui pouvait encore passer pour un homme sur un circuit vocal, ressentait une paisible impression de réussite et, pour la première fois depuis des années, quelque chose qui ressemblait à de la tranquillité d'âme. Depuis son retour de Jupiter, les cauchemars avaient cessé. Il avait enfin trouvé son rôle.

Il savait maintenant pourquoi il n'avait cessé de rêver de ce super-singe rencontré à bord de la *Reine* condamnée : ni homme ni bête, cette créature était entre deux mondes, tout comme lui-même !

Il était le seul à pouvoir parcourir sans protection le sol lunaire : le cylindre de métal qui avait remplacé son corps fragile contenait des organes vitaux prothétiques qui fonctionnaient aussi bien dans l'espace ou sous les eaux. Des champs gravitationnels dix fois supérieurs à celui de la Terre l'incommodaient, sans plus. Et l'apesanteur était ce qu'il y avait de mieux...

La race humaine se faisait plus lointaine, les liens de parenté plus ténus. Ces assemblages de composés instables du carbone, qui avaient besoin d'air pour respirer et craignaient les radiations, n'avaient peut-être aucun droit à s'aventurer au-delà de l'atmosphère ; peut-être devraient-ils s'en tenir à leurs habitats naturels — la Terre, la Lune et Mars.

Un jour les vrais maîtres de l'espace seraient les machines et non les hommes — et Falcon n'était ni l'un ni l'autre ! Déjà conscient de sa destinée, il tirait une sombre fierté de sa solitude unique : il était le premier immortel, à mi-chemin entre deux ordres de création.

Il serait, après tout, un ambassadeur — entre l'ancien et le nouveau, entre les créatures de carbone et les créatures de métal qui devaient un jour les supplanter.

Les unes et les autres auraient besoin de lui dans les siècles troublés qu'elles avaient devant elles.

A Meeting with Medusa.
Première publication : *Playboy,* décembre 1971.

TABLE

Presses Pocket
8 rue Garancière
75006 Paris
tél. 329 12 80

IMPRIMÉ EN FRANCE PAR BRODARD ET TAUPIN
7, bd Romain-Rolland - Montrouge.
Usine de La Flèche, le 25-04-1983.
6479-5 - N° d'Editeur 1974, avril 1983.

L'ANNÉE DE LA SCIENCE-FICTION ET DU FANTASTIQUE

sous la direction de JACQUES GOIMARD

paraît chaque année aux éditions JULLIARD

Volumes disponibles :
L'année 1977-1978 de la science-fiction et du fantastique
L'année 1978-1979
L'année 1979-1980
L'année 1980-1981
L'année 1981-1982

- Un choix des meilleures nouvelles parues dans l'année.
- Un guide complet de l'amateur : les livres, les films, les B.D., les albums, les disques, les conventions.
- Quelques grands textes critiques.
- Tous les grands noms de la science-fiction française et étrangère.